BVT

1793 heiratete die achtzehn Jahre alte mecklenburgische Prinzessin Luise den preußischen Kronprinzen und späteren König Friedrich Wilhelm III., sie gebar ihm zehn Kinder, darunter den späteren Kaiser Wilhelm I. 1806 floh sie mit ihren Kindern nach Preußens Niederlage nach Ostpreußen, traf 1807 in Tilsit mit Napoleon zusammen. Luise starb 1810, im Alter von vierunddreißig Jahren. Sie wurde zu Lebzeiten verehrt und von Künstlern umschwärmt, ihr früher Tod wurde zur Geburtsstunde einer Legende.

Günter de Bruyn, 1926 in Berlin geboren, lebt als freier Schriftsteller in einem märkischen Dorf. Sein Werk wurde mit zahlreichen Preisen ausgezeichnet, u. a. dem Heinrich-Mann-Preis, dem Thomas-Mann-Preis, dem Heinrich-Böll-Preis und dem Großen Literaturpreis der Bayerischen Akademie der Schönen Künste. Für *Preußens Luise* wurde Günter de Bruyn der Deutsche Bücherpreis verliehen.

Günter de Bruyn

Preußens Luise

Vom Entstehen und Vergehen
einer Legende

Berliner Taschenbuch Verlag

September 2002
BvT Berliner Taschenbuch Verlags GmbH, Berlin,
ein Unternehmen der Verlagsgruppe Random House GmbH

Umschlaggestaltung: Nina Rothfos und Patrick Gabler, Hamburg,
unter Verwendung des Porträts »Königin Luise von Preußen« (postum 1810)
von Johann Gottfried Schadow (1764–1850)
Druck und Bindung: Elsnerdruck, Berlin
Printed in Germany · ISBN 3-442-76086-0

Inhalt

Verflechtungen

Um die außergewöhnliche Verehrung der Königin Luise von Preußen entstehen, andauern und sich über ganz Deutschland ausbreiten zu lassen, mußten verschiedene Ereignisse und Umstände zusammenkommen. Schönheit und Anmut mußten selten gewesen sein auf preußischen Thronen; bürgerliche Tugenden mußten öffentliche Wertschätzung genießen; ein früher Tod mußte die Königin in der Erinnerung jung erhalten, Preußen die schlimmste Niederlage seiner Geschichte erleiden, und die Periode seiner Demütigungen mußte siegreich zu Ende gehen.

Daß aber Luise, die siebente von insgesamt elf preußischen Königinnen, für das Deutsche Reich von 1871 mit dem Hohenzollernkaiser an der Spitze zu einer Art Ursprungsmythos werden konnte, hing sowohl mit dem zu ihren Lebzeiten erstarkenden deutschen Nationalbewußtsein und der besonderen Rolle Preußens in den Befreiungskriegen zusammen als auch – und das in erster Linie – mit ihrem Sohn Wilhelm, der sechzig Jahre nach ihrem Tode deutscher Kaiser wurde.

Die Prinzessinnen Luise und Friederike bei Goethes Mutter in Frankfurt am Main. Froh darüber, der Hofetikette entkommen zu sein, vergnügen sie sich am Brunnen. Gemälde von Wilhelm Amberg

Passend dazu war die Verflechtung ihres Lebens mit außerpreußischen deutschen Ländern. Sie war eine mecklenburgische Prinzessin, wurde aber in Hannover geboren und hatte ihre Jugend südlich des Mains verbracht. Sie sprach Hochdeutsch mit hessischen Dialektanklängen und war schon als junges Mädchen mit der Mutter des in ganz Deutschland verehrten Goethe bekannt und vertraut gewesen. In ihr verbanden sich, wie man später in völkischer Tonart sagte, »die schlichte Treue und das Pflichtbewußtsein der schweren norddeutschen Stämme« mit der »Herzenswärme und Heiterkeit süddeutschen Blutes«. Und da sie zu den blonden und blauäugigen Schönheiten gehörte, eignete sie sich auch vom Äußeren her für eine Lichtgestalt deutscher Art.

Die schönen Schwestern

In Hannover war die Mecklenburgerin geboren worden, weil ihr Vater, bevor er regierender Großherzog von Mecklenburg-Strelitz wurde, als Gouverneur der Stadt in englischen Diensten gestanden hatte, und ins Hessische war sie mit sechs Jahren geraten, als ihre Mutter, eine geborene Prinzessin von Hessen-Darmstadt, gestorben war. Bei der Großmutter war sie im Darmstädter Alten Palais aufgewachsen und mit siebzehn Jahren in Frankfurt am Main gezielt mit dem preußischen Kronprinzen zusammengebracht worden. Und da die beiden sich ineinander verliebten und der König diese Verbindung wünschte, waren sie wenige Wochen später verlobt.

Am 10. März 1776 war Luise zur Welt gekommen, am 22. Dezember 1793 kam sie als Braut nach Berlin. Den Triumphzug der Einholung durch Bürger und Soldaten erlebte die Siebzehnjährige an der Seite ihrer jüngeren Schwester Friederike, die die Braut des jüngeren Bruders des Kronprinzen war. Schadow war so entzückt von den beiden, daß er ihren hessischen Dialekt als »die angenehmste aller deut-

Der einunddreißigjährige Schadow in einer Arbeitspause.
Kreidezeichnung von Friedrich Georg Weitsch

schen Mundarten« bezeichnete. Er spricht von einem »Zauber«, der sich durch den Liebreiz der Schwestern über der Residenz ausbreitete und die Berliner durch die Frage entzweite, welche die Schönere von beiden sei. Er selbst entzog sich dieser Entscheidung, indem er beide in seinem heute berühmten Marmorstandbild, der sogenannten Prinzessinnengruppe, vereinte und so Luise, noch bevor sie Königin wurde, als Gebilde der Kunst in die Unsterblichkeit hob.

Für die Ausformung der Luisen-Legende hatte die Prinzessinnengruppe allerdings kaum eine Bedeutung, sieht man von einer indirekten, über die Literatur vermittelten Wirkung ab. Schuld daran war Luises Gatte, Friedrich Wilhelm III., der noch Kronprinz war, als der König das Kunstwerk in Auftrag gegeben hatte, bald nach dessen Fertigstellung aber selbst König wurde und es, wie vieles, das sein Vater getan oder veranlaßt hatte, verwarf.

Johann Gottfried Schadow, 1764 in Berlin geboren, Schüler des Hofbildhauers Tassaert, seit 1788 dessen Amtsnachfolger, hatte schon Meisterwerke wie die Quadriga des Brandenburger Tores und das Zieten-Denkmal für den Wilhelmplatz in Berlin geschaffen, so daß der Minister von Heynitz, als er Friedrich Wilhelm II. vorschlug, die Schönheit der Schwestern von Schadow verewigen zu lassen, ihn mit Recht als einen Künstler bezeichnen konnte, »der jetzt unter allen Bildhauern Europas den ersten Platz« beanspruchen könne. Und der König, selbst vom Reiz seiner Schwiegertöchter beeindruckt, stimmte dem zu.

Getraut wurde Luise, als habe man mit ihrem späteren Heiligenschein schon gerechnet, am Heiligen Abend 1793, ihre Schwester am

Dieser Ausschnitt eines Panoramas der Straße Unter den Linden von 1849 zeigt in der Mitte das Kronprinzenpalais, in dem Friedrich Wilhelm III. und Luise auch nach der Thronbesteigung noch lebten, rechts davon das Prinzessinnenpalais mit dem die Gebäude verbindenden Torbogen, links das Kommandantenhaus.

zweiten Weihnachtstag. Danach wohnten die jungen Paare benachbart, Friedrich Wilhelm und Luise im Kronprinzenpalais Unter den Linden, Prinz Ludwig und Friederike in dem durch einen Torbogen verbundenen Nachbargebäude, das später, da Luises Töchter hier bis zu ihrer Verheiratung lebten, den Namen Prinzessinnenpalais erhielt. Schadow wurde ein Arbeitszimmer im Seitenflügel des Kronprinzenpalais angewiesen, und täglich um die Mittagsstunde kam Friederike, die jetzt Prinzessin Ludwig oder Louis genannte wurde, herüber, um ihm zu sitzen, mit ihm zu plaudern und die Reize ihrer knapp siebzehn Jahre auszuspielen, die manchen Männern des Hofes gefährlich wurden. Ihr

Mann aber, der sie nur aus Gehorsam geheiratet hatte und sein Junggesellenleben auch in erotischer Hinsicht weiterführte, machte sich wenig aus ihr.

Die Arbeit mit der Kronprinzessin dagegen war weniger intim und gemütlich. Sie kam immer in Begleitung ihres steifen, mit Zeit und Worten geizenden Gatten, saß dem Künstler auch nicht in seinem Arbeitszimmer, sondern ließ sich von ihm während der Audienzen des Kronprinzenpaares studieren, so daß Schadow von seiner Saalecke her meist nur die offizielle Luise sah.

Zuerst entstanden die Büsten der Schwestern, von denen die Friederikes lebendiger wirkt. Vielleicht ist das auch ein wenig auf die unterschiedlichen Arbeitsbedingungen zurückzuführen, bestimmt aber entspricht es den von Schadow erkannten unterschiedlichen Charakteren der Schwestern. Luise, die ältere, hat trotz ihres jugendlich-vollen Gesichts etwas Feierliches und Hoheitsvolles, der geradeaus gerichtete Blick macht das schöne Gesicht unlebendig. Die pflichtbewußte Königin, zu der sich das lebensfrohe, oft ausgelassene und tanzwütige Mädchen entwickeln sollte, ist hier von Schadow vorweggenommen. Auch das tiefe Dekolleté, das übrigens nach Einspruch des Gatten in einer späteren Fassung verändert wurde, vermittelt keinen sinnlichen Reiz.

Schadows Büste der Prinzessin Friederike von 1794. An weiblicher Ausstrahlung übertraf die jüngere Schwester die Kronprinzessin. Deren Oberhofmeisterin, die Gräfin Voß, schreibt in ihrem Tagebuch, alle Männer des Hofes seien in Friederike verliebt gewesen. »Wer sie sah, wollte sie haben.«

Schadows Büste der Kronprinzessin Luise entstand 1794 oder 1795. Die Binde unter dem Kinn, die nach Schadows Auskunft zur Modeerscheinung wurde, sollte eigentlich nur eine Schwellung am Hals verdecken, die später wieder verschwand.

Friederike dagegen, vielseitig begabt, aber leichtlebiger und koketter als ihre Schwester, ist bei Schadow, fern von antiken Schönheitsidealen, fern auch von Repräsentation und Etikette, nichts als ein reizendes junges Mädchen, dessen geschlossene Lippen die Andeutung eines Lächelns ziert und dessen seitlich geneigter Kopf Ungezwungenheit zeigt. Sie ist mehr Ika, wie sie in der Familie gerufen wurde, als Frau des preußischen Prinzen. Der Zauber, den sie auf den Künstler ausübte, liegt auch in ihren träumerisch nach unten gerichteten Blicken. Sie ist natürlich, lebendig und ganz gegenwärtig. Hier ist nichts vorweggenommen, nicht die unglückliche Ehe mit Ludwig, nicht die Witwenschaft mit achtzehn Jahren, nicht die Liebschaften, nicht die unstandesgemäße zweite Heirat, die ihre Entfernung vom Hofe bedeutet, und auch nicht die dritte Ehe, durch die sie schließlich Königin von Hannover wird. Ein wenig vom sinnlichen Reiz der Prinzessinnengruppe ist in Friederikes Büste bereits zu sehen.

An dem Doppelstandbild begannen die Arbeiten wenig später, und Schadow fand dabei die bereitwillige Unterstützung der Schwestern. Er durfte aus ihrer Garderobe die seinen Absichten entsprechenden Kleider auswählen, und er hatte das Glück, daß die damalige antikisierende Mode der weiten, hochgegürteten Gewänder ihm die Verbindung von Anmut,

Friedrich Georg Weitsch: Die Prinzessinnen Luise und Friederike bekränzen die Büste Friedrich Wilhelms II. (1795). Allegorie auf den Frieden von Basel.

Würde und sinnlichem Reiz erlaubte. Sogar maßnehmen durfte er bei Luise und ihrer zierlichen Schwester »nach der Natur«.

In der Akademie-Ausstellung von 1795, die im September eröffnet wurde, waren die Prinzessinnen gleich in zwei Kunstwerken vertreten: Am Eingang prangte Weitschs großes Gemälde, auf dem die weißgekleideten Schwestern als Dank für den im April geschlossenen Frieden von Basel eine Büste Friedrich Wilhelms II. bekränzen, und im Mittelpunkt des Saales war das Gipsmodell der Prinzessinnengruppe zu sehen. Der Beifall für dieses einzigartige Werk war groß und einhellig, was Schadow bescheiden mit »den vielen schwachen Kunsterzeugnissen, welche umherstanden« erklärte. Er konnte hoffen, daß die Marmorausführung, die er zwei Jahre später in der Ausstellung zeigte, noch größeres Lob ernten würde. Aber er wurde bitter enttäuscht.

Nicht die Kunstkritik, die kaum stattfand, war es, die den Mißerfolg bewirkte und Schadow verbitterte, sondern der Wechsel an der Spitze der Monarchie. Friedrich Wilhelm II. starb wenige Wochen nach dem Ende der Ausstellung, und der neue König, nüchterner und sparsamer als sein Vater, verachtete alles, was mit dessen Sinnenfreuden, seiner Mätressenwirtschaft und der Verschwendung von Staatsgeldern zusammenhing. Er wollte Preußen wieder preußischer und moralischer machen, ließ gleich nach seiner Thronbesteigung die Gräfin Lichtenau, die lebenslange Nebenfrau seines Vaters, angeblicher Unterschlagungen wegen, die sich später als nicht zutreffend herausstellten, verhaften; und zu Schadows anrührendem Grabmal des Grafen von der Mark und zur marmornen Prinzessinnengruppe soll er in seiner wortkargen Art gesagt haben: »Mir fatal!«

Fatal am Grabmal war ihm, daß das tote Kind, das damit so aufwendig geehrt wurde, einer nichtehelichen Liebschaft seines Vaters entstammte; und das Standbild der Schwestern, deren liebliche Körperformen man unter den lose fallenden Gewändern erahnen konnte, war ihm wohl zu intim. Ihm mißfiel der besondere Vorzug der Darstellung, ihre Natürlichkeit und Lebendigkeit, die nicht ausdrückten, welch hohe Stellung die Schwestern einnahmen. Möglich ist aber auch, daß seine Ablehnung nur der inzwischen wegen unstandesgemäßer Heirat vom Hofe entfernten Friederike galt.

Der königliche Auftrag für das Marmorstandbild hatte keine Bestimmung über dessen Aufstellungsort enthalten. Schadow ließ es von der Akademie wieder in seine Werkstatt befördern und machte dem jungen König immer wieder Vorschläge für seine Aufstellung, doch wich der König, wie es auch in wichtigeren Fragen seine Art war, lange einer Entscheidung aus.

An der Prinzessinnengruppe arbeitete Schadow, nach eigenen Worten, »in stiller Begeisterung«.

Drei Jahre standen die marmornen Schwestern in einer Holzkiste, in der die Mäuse sich Nester bauten, dann ließ der König, um hochgestellte Besucher zu ehren, sie in eines der Gästezimmer des Schlosses bringen, wo sie, selbst der Hofgesellschaft weitgehend unzugänglich, etwa neunzig Jahre lang standen und so gut wie vergessen wurden. Auch als sie 1893 in der Bildergalerie des Stadtschlosses und 1918 in dessen Parolesaal aufgestellt wurden, nahmen nur Kenner und Liebhaber von ihnen Notiz. Fontane hat sie in seiner Lobpreisung des alten Schadow, im »Spreeland«, keiner Erwähnung für wert gefunden. Obwohl die Königliche Porzellanmanufaktur Verkleinerungen in Biskuitporzellan von ihnen hergestellt und vertrieben hatte, wurden die jugendlichen Schwestern nie so populär wie Rauchs idealisierte Königin im Mausoleum. Für den Luisen-Kult hatte Schadows Lebensechtheit kaum eine Bedeutung. Aber auch in unseren Tagen pilgert man eher zu Rauchs toter Königin im Charlottenburger Schloßpark als zur ewig lebendigen Kronprinzessin, die heute, immer noch Arm in Arm mit ihrer kleinen Schwester, als Gipsmodell in Schinkels Friedrichwerderscher Kirche und marmorn auf der Museumsinsel in der Nationalgalerie steht.

Friedrich Wilhelms III. und die Königin Luise. Relief in Eisenguß von Leonhard Posch (etwa 1804). Hergestellt von der Eisengießerei in Gleiwitz, später mehrmals, auch in Bronze, nachgegossen.

Obwohl die Hochzeit Luises im Weißen Saal des Berliner Stadtschlosses am 24. Dezember 1793 nach dem alten, noch aus barocken Zeiten stammenden Zeremoniell, mit dem Fackeltanz der

Bildnis der Kronprinzessin Luise. Rötelzeichnung von Johann Gottfried Schadow, etwa 1795.

Minister und Generäle, dem frivolen Zerschneiden des Strumpfbandes der Braut und dessen Verteilung an die Zeugen, gefeiert wurde, machte diese Liebesheirat doch deutlich, daß in Preußen manches anders geworden war. Nicht nur Adlige und höhere Beamte, sondern auch viele Bürger Berlins waren als Zuschauer zugelassen. Die Anwesenheit der Witwe Friedrichs des Großen, die immer von ihrem Mann getrennt und wie im verborgenen gelebt hatte, erinnerte an die sechsundvierzig Jahre, in denen Preußen praktisch keine Königin gehabt hatte. Der gegenwärtige König, Friedrich Wilhelm II., hatte mit seinen wechselnden Frauenaffären die moralisch nachtschwarze Kulisse geschaffen, vor der das treue und tugendhafte Kronprinzenpaar leuchten konnte; und das alles klang, obwohl unausgesprochen, in der Traurede mit. Gehalten wurde diese vom Hofprediger Sack, der den Bräutigam schon konfirmiert hatte, und sie war ganz auf dessen moralische Lebensführung und Luises Rolle dabei abgestellt. »Dieses Herz«, sagte er an Luise gewandt, »das Ihnen jetzt seine Liebe und Treue am Altar der Religion weiht, dieses Herz verehrt Gott, und es liebt redlich Gerechtigkeit und Tugend. Sie sind von der Vorsehung auserwählt, es zu beglücken, und Ihr schöner Beruf ist es, in demselben die sanfte Flamme zärtlicher Empfindungen zu unterhalten, dic das Furchtbare der Heldentugenden mildert, und die, da sie selbst Liebe ist, auch Liebe erzeugt. Von Ew. Königlichen Hoheit erwartet der Prinz, für den Sie zu leben angeloben, was Würde und Macht ihm nicht geben können: das heilige Glück der Freundschaft – und ein neues leuchtendes Vorbild erwartet von Ihnen der Hof und das Vaterland.«

Zu den Vorzügen der Legendengestalt Luise zählte neben ihrer Anmut und Schönheit auch

Farbige Chromlithographie von W. Friedrich aus dem weitverbreiteten Bildband: »Die Königin Luise in 50 Bildern für Jung und Alt«.

das, was man ihre Natürlichkeit nannte, dem Hofzeremoniell entgegensetzte und als Ausdruck von Güte und Menschlichkeit sah. In keinem der vielen Bücher, die über sie geschrieben wurden, fehlen die Szenen, in denen sie die vorgeschriebenen Normen mißachtet, weil sie ihren edlen Gefühlen gehorcht. Obwohl es nicht schicklich ist, küßt und umarmt sie das weißge-

Bildnis der Gräfin von Voß, der Oberhofmeisterin der Königin Luise. Das Autograph, wahrscheinlich eine Stammbucheintragung, lautet: »Fürchte Gott und sey gehorsam den Eltern und Vorgesetzten. Sophia Gräfin v. Voß, geb. v. Pannwitz«.

kleidete Bürgermädchen, das sie bei ihrer Ankunft als Braut vor der Ehrenpforte Unter den Linden mit einem Gedicht bewillkommnet, so daß die Oberhofmeisterin ausrufen muß: »Mein Himmel! Das ist ja gegen alle Etikette.« Zum Entsetzen von Friedrichs Witwe grüßt sie, statt sich grüßen zu lassen, die ankommenden Hochzeitsgäste. Die Konventionen mißachtend, modernisiert sie den Hof durch zeitgemäßes Walzertanzen, und leicht ist sie, auch in der Öffentlichkeit, zu Tränen gerührt. Immer steht ihre Menschlichkeit gegen die Starrheit der überkommenen Formen, in die sie sich aber auch, soweit es ihre hohe Aufgabe erfordert, heroisch fügt. Die treue Oberhofmeisterin, Gräfin Voß, ihre Lehrmeisterin im Königin-Werden, wird dadurch zum notwendigen Bestandteil der Legende. Sie verkörpert streng und gerecht, aber mit gutem Herzen das alte Preußen, dessen Zucht Luise erzieht und verwandelt und das durch sie verwandelt wird.

Die Ehe, die das Kronprinzenpaar führte, war mustergültig im bürgerlichen Sinne. Man liebte nicht nur einander, sondern sagte auch du zueinander, was allen bisherigen Gepflogenheiten widersprach. Durch regelmäßige Niederkünfte erfüllte Luise ihre Mutterpflichten, und die Kinder wuchsen in ständiger Nähe der Eltern auf. Da Friedrich Wilhelm III. die Öffentlichkeit scheute, gern häuslich zurückgezogen

In der Widmung dieses Leipziger Taschenbuches an die »Großmächtigste Königin« heißt es: »Ew. Majestät Gnade versichert mir Verzeihung dieser Freiheit, mit der ich ein Werk zu Ew. Majestät Füßen lege, das ein theoretisches System derjenigen weiblichen Tugenden enthält, welche die Welt aus Ew. Majestät praktischem Leben hat kennengelernt.«

lebte, so daß er das kleine Kronprinzenpalais auch noch als König dem großen Stadtschloß vorzog und im Sommer gern im bescheidenen Herrenhaus von Paretz lebte, wo er nichts als ein Gutsherr sein wollte, konnte den an Luise gerühmten Eigenschaften auch die der Genügsamkeit hinzugefügt werden, die seit den Zeiten des Soldatenkönigs in Preußen viel galt.

Als Luise im November 1797 Königin wurde, waren also einige der Bestandteile der Legende, die im 19. Jahrhundert ihr Andenken bestimmen sollten, im öffentlichen Bewußtsein schon vorhanden, und Maler und Dichter waren dabei, sie zu festigen und auszuschmücken, in dieser frühen Zeit besonders Novalis, wie sich Friedrich von Hardenberg als Dichter nannte, der zum Ruhme der Königin und ihres Mannes einen schwärmerisch-dunklen Beitrag lieferte, der dem König allerdings nicht gefiel.

Im September 1797 war die Marmorausführung von Schadows Prinzessinnengruppe ausgestellt worden, im November hatte Friedrich Wilhelm III. den Thron bestiegen, und im Juni und Juli 1798 erschien in der nach dem Thronwechsel gegründeten Monatszeitschrift »Jahrbücher der Preußischen Monarchie unter der Regierung von Friedrich Wilhelm III.« der Aufsatz »Glaube und Liebe oder der König und die Königin« von Novalis. Er versucht darin den idealen Republikanismus, der nicht nur durch die Französische Revolution, sondern auch durch Kants Schrift »Zum ewigen Frieden« im Gespräch war, mit dem idealen Monarchismus nicht nur zu versöhnen, sondern zu vereinen, und projiziert dabei seine Wunschvorstellungen, die von der im ganzen Lande verbreiteten Hoffnung auf die Reformfreudigkeit Friedrich Wilhelms III. genährt wurden, auf das junge preußische Königspaar. »Nichts ist erquickender«, schreibt er, »als von unseren Wünschen zu reden, wenn sie schon in Erfüllung gehen.« Und als erfüllt sieht er an, daß sich schon »wahre Wunder der Transsubstantiation ereignen« – »Verwandelt sich nicht ein Hof in eine Familie, ein Thron in ein Heiligthum, eine königliche Vermählung in einen ewigen Herzensbund?« Er träumt hier den Traum einer Republik, der der Monarch als Zentrum und Vorbild nicht verlorengeht, und in der die Gemeinschaft der Staatsbürger durch eine ästhetische Religion, in der auch die Sittlichkeit und die Schönheit der Königin eine Rolle spielen, zusammengehalten wird.

Schon in den dem Aufsatz vorangestellten Gedichten, mit dem Gesamttitel »Blumen«, wird Luise als die »schöne Fürstinn«, das »schöne Wesen«, die »Rose des Bergs«, die »Herrlichste« verherrlicht. »An den König« gerichtet sind die Verse: »Mehr als ein Königreich gab der Himmel Dir in Louisen. Aber Du brachtest ihr auch mehr als die Krone, Dein Herz.« Und unter dem Titel »Der König« heißt es:

»Nur wer mehr als König schon ist, kann königlich herrschen,

Also soll König seyn, welcher die Herrlichste liebt.«

Glaube und Liebe sollten das hohe Paar und

Anonymer Kupferstich in Punktmanier von etwa 1799, der in Bild und Text das am preußischen Königsthron ungewöhnliche Familienglück zeigt.

die Staatsbürger miteinander verbinden, und besonders die Frauen sollten sich an Luises Vorbild bilden. Mit jeder Trauung sollte eine Huldigung der Königin verbunden werden; ihr Porträt sollte man in die Wohnzimmer hängen und »so das gewöhnliche Leben veredeln, wie sonst die Alten es mit ihren Göttern taten. Dort entstand ächte Religiosität durch diese unaufhörliche Mischung der Götterwelt in das Leben. So könnte hier durch diese beständige Verwebung des königlichen Paars in das häusliche und öffentliche Leben ächter Patriotismus entstehen.« Und die gute Gesellschaft Berlins sollte »eine Loge der sittlichen Grazien stiften«, Schadows Prinzessinnengruppe erwerben, »sie in dem Versammlungssaale aufstellen« und dort »Königsdienst … feiern wie Gottesdienst«. Und am Schluß heißt es dann, auf Kants in weiter zeitlicher Ferne liegenden ewigen Frieden anspielend: »Wer den Ewigen Frieden jetzt sehen und lieb gewinnen will, der reise nach Berlin und sehe die Königin.«

Als Dichtung und politische Vision hatte diese kleine Schrift des Novalis durchaus Bedeutung. 1807 wird der Reformpolitiker Hardenberg in seiner »Rigaer Denkschrift« von »demokratischen Grundsätzen in einer monarchischen Regierung« sprechen, und 1922 wird Thomas Mann in seiner Rede »Von deutscher Republik«, mit der er sich zu der von Weimar bekennt, Novalis ausführlich zitieren. Als aktueller politischer Beitrag aber hatte der Essay für Eingeweihte sicher auch seine komischen Seiten, besonders der Charakterisierung des Königs wegen, der in Wirklichkeit völlig anders war. Novalis macht den ständigen Zauderer und hausbackenen Praktiker, der für Poesie und geistige Höhenflüge nichts übrig hatte, zum Lehrmeister der Künstler und Bahnbrecher der Wissenschaften – was dem so Angeschwärmten, der

Schmeicheleien nicht mochte, den Gedankengängen vielleicht auch nicht folgen konnte und sich durch die Idealisierung überfordert fühlte, nicht nur nicht gefiel, sondern gefährlich dünkte, so daß die Zensur, die er bei der Thronbesteigung liberalisiert, aber nicht abgeschafft hatte, tatsächlich die aus politischen Aphorismen bestehende Fortsetzung zu drucken verbot.

Ob auch die Königin, die mehr Sinn für Literatur hatte, die Schrift von Novalis gelesen hat, ist nicht bekannt. Vielleicht wäre ihre Reaktion darauf gnädiger ausgefallen; denn die nicht weniger schmeichelhafte Dedikation, die zwei Jahre später Jean Paul seinem Roman »Titan« voranstellte, nahm sie gern an.

»Der Traum der Wahrheit« ist sie überschrieben, »Den vier schönen und edlen Schwestern auf dem Thron« gewidmet, und sie erzählt von Aphrodite, Aglaja, Euphrosyne und Thalia, die, um nicht so entfernt zu sein »von den Seufzern der Hülflosen«, vom Olymp auf die Erde herabsteigen, »wo die Seele mehr liebt, weil sie mehr leidet«, sterbliche Schwestern werden, sich Luise und Friederike, Charlotte (Herzogin von Sachsen-Hildburghausen) und Therese (von Thurn und Taxis) nennen und Throne besteigen, um den Menschen Liebe und Freude zu bringen. Die Königin wird also nicht, wie bei Novalis, vergöttlicht, sondern die Göttin wird Königin.

Das sogenannte Gothische Häuschen auf der Luisenburg bei Alexandersbad. Es wurde 1805 zur Bewirtung der königlichen Gäste erbaut. Lithographie von 1852 aus dem Fichtelgebirgsmuseum.

Jean Pauls Verehrung galt mehr Luises Schönheit und Güte als ihrer Krone: »Warum hat sie zwei Throne, da ihr zum Herrschen der Thron der Schönheit genug sein könnte?« schreibt er unter dem Eindruck einer Begegnung mit ihr. Denn im Gegensatz zu Novalis kannte er sie persönlich, und er bezeugte, wie fast jeder, ihre besondere Ausstrahlung. Nie aber versuchte er, ihr Äußeres zu beschreiben, und wenn er, auch ihr gegenüber, erklärte, für die

Gestalt der empfindsamen Clothilde aus seinem Roman »Hesperus« habe er sie zum Vorbild genommen, wird deutlich, daß er mit Schönheit wohl auch besonders die der Seele meint.

Dreimal ist er Luise begegnet: 1799 in Hildburghausen am Hofe ihrer Schwester Charlotte, 1800 in Potsdam, wo er in Sanssouci mit ihr speiste, und 1805 in Alexandersbad am Fichtelgebirge, wo er für ihren Besuch der Luxsburg, die seither Luisenburg heißt, ein Festspiel dichtete, den »Wechselgesang der Oreaden und Najaden«, in dem die vier Schwestern durch Flüsse personifiziert werden, deren Wasser sich ins Meer, deren Schönheit sich aber in die Herzen ergießt.

Auch seine »Schmerzlich-tröstlichen Erinnerungen an den neunzehnten Julius 1810«, mit denen er um die Frühverstorbene trauerte, sind, obwohl auch politische Aspekte ihres Andenkens berührt werden, vor allem auf ihre Schönheit, Güte und Frömmigkeit gestimmt. »Einst wird die ferne Zeit kommen, die uns um die Freude über das Große und Schöne, das wir besaßen, beneidet«, heißt es am Anfang. Und am Ende tritt, vor Luises Geburt, ihr »Genius vor das Schicksal« und sagt: »Ich habe vielerlei Kränze für das Kind, den Blumenkranz der Schönheit, den Myrtenkranz der Ehe, die Krone eines Königs, den Lorbeer- und Eichenkranz deutscher Vaterlandsliebe, und auch eine Dornenkrone: welche darf ich dem Kinde geben. – Gib ihm alle deine Kränze und Kronen, sagte das Schicksal, aber es bleibt noch ein Kranz zurück, der alle übrigen belohnt. – Am Tage, an dem der Totenkranz auf dem erhabenen Haupte lag, erschien der Genius wieder, und nur seine Tränen fragten. – Da antwortete eine Stimme: Blickt auf! – und der Gott der Christen erschien.«

Lektüre

Um aufgeschlossener für Kunst und Literatur zu sein als der König, bedurfte es wenig, und dieses Wenige zumindest war bei Luise da. Vergleicht man ihr literarisches Interesse mit dem der anderen preußischen Königinnen, ist ihr, nach Sophie Charlotte, der Frau Friedrichs I., ein Ehrenplatz gewiß. Sie las, wie ihre Briefe bezeugen, Goethe und Herder, Jean Paul und Wieland (den »Agathon« in Ferientagen auf der Pfaueninsel sogar zweimal), besonders gern aber Schiller, den sie 1804, nicht lange vor seinem Tode, mit einem Essen in Sanssouci würdigte und gern nach Berlin geholt hätte. Und manchmal las sie ihrem wahrscheinlich gelangweilten Mann auch vor. Literatur gehörte zu ihrem Leben; ihr Bildungseifer und ihr weiches Gemüt verlangten nach ihr.

Die Bildung, die sie in Darmstadt erhalten hatte, war dürftig und oberflächlich gewesen, und es spricht für sie, daß sie das wußte, häufig beklagte und ändern wollte. Sie bat Gelehrte, sie über Geschichte und Philosophie zu unterrichten, und sie wählte sich Freundinnen, die ihr weiterhalfen, wie Caroline von Berg, die mit

Pastellporträt der Caroline von Berg, um 1800, von Johann Heinrich Schröder. Sie war die engste Freundin Luises, unterhielt in Berlin einen literarischen Salon und korrespondierte mit Goethe, Herder, Wieland, Jean Paul und dem Freiherrn vom Stein. 1814 veröffentlichte sie ein Buch über die Königin Luise.

vielen Geistesgrößen korrespondierte und Luise an die zeitgenössische Literatur heranführte, indem sie ihr Bücher oder bestimmte Passagen aus ihnen empfahl. In einem Brief Luises aus Paretz wird die Freundin von ihr gebeten, aus Schillers Gedichten, der »Braut von Messina« und Herders Humanitäts-Briefen jene Stellen herauszusuchen, »von denen Sie annehmen, daß sie mir gefallen und mir am meisten nützen«. Im gleichen Brief fällt auch der für ihr Literaturverständnis typische Ausdruck, sie liebe an Schiller nur das, »was zum Herzen spricht«.

In einem Brief an eine andere Freundin, Marie von Kleist, die Verwandte und Vertraute des Dichters, lästert sie über eine ihrer Hofdamen, die Gräfin Charlotte von Moltke, später Frau von der Marwitz, weil diese den Verstand über das Gefühl stelle, während sie, Luise, eher »alle Bücher in die Havel werfen« würde, als sich durch Wissen die Empfindsamkeit beeinträchtigen zu lassen. »Möge Gott mich davor bewahren, meinen Geist zu pflegen und mein Herz zu vernachlässigen!«

Sie ließ sich von Gedichten rühren und trösten. In keiner ihrer Lebensbeschreibungen fehlt die Szene aus dem Kriegswinter 1806/07, in der sie auf der Flucht in Ostpreußen Goethes Verse »Wer nie sein Brot mit Tränen aß«, wie die Sage es will, mit dem Diamanten ihres Fingerrings in die Fensterscheibe einer Bauernhütte, die ihr als Herberge diente, ritzte, in Wahrheit aber in ihr Tagebuch schrieb. Dichtung war also mit der schönen und tragischen Gestalt der Königin immer verbunden, und unzählige Verse jeglichen Niveaus wurden schon zu ihren Lebzeiten auf sie oder ihr zu Ehren gedichtet, zu ihren Geburtstagen, Niederkünften oder Huldigungsreisen, zu denen auch August Wilhelm Schlegel ein Gedicht beisteuerte, in dem es, nachdem erst vom König die Rede war, von ihr heißt:

»Wie könnte je sich ihm der Himmel schwärzen?
Er sucht und fand der Liebe schönsten Lohn.
Luises Lächeln heißt den Kummer scherzen,
Vor ihrem Blick ist jedes Leid entflohn.
Sie wär in Hütten Königin der Herzen.
Sie ist der Anmut Göttin auf dem Thron.
Ihr zartes Werk, ihr seligstes Gelingen,
In seinen Lorbeer Myrten einzuschlingen.«

Daß ihre glücklichen Jahre, von denen das frühe Gedicht Schlegels von 1798 handelt, in den späteren Erzählungen über ihr Leben so golden gemalt wurden, daß die dazugehörigen idyllischen Schauplätze wie Sanssouci, die Pfaueninsel und Paretz noch bis heute mit dieser Erinnerung leben, bezweckte vor allem, den Absturz ins Elend, der im Oktober 1806 mit dem Sieg Napoleons bei Jena erfolgte, besonders tief erscheinen zu lassen. Denn erst hier, auf der überstürzten Flucht mit ihren Kindern nach Ostpreußen, in Königsberg und auf der Kurischen Nehrung, in Memel und Tilsit, wo die Erniedrigung Preußens im demütigenden Gespräch Luises mit dem Sieger mündete, bewährte sich die »Königin der Herzen« richtig; aus der Göttin der Anmut wurde die verehrungswürdige Dulderin.

Französisches Spottbild nach dem Sieg Napoleons bei Jena und Auerstedt mit der Unterschrift: »Überstürzte Abreise der Königin von Preußen«.

Zu den Demütigungen, die ihr persönlich von Napoleon zugefügt wurden, gehörte auch, daß er sie in seinen Kriegs-Bulletins wieder und wieder haßerfüllt oder spöttisch verleumdete, ihr die Schuld am Ausbruch des Krieges zuschob, sie zur blutrünstigen Amazone machte oder sie eine Schönheit nannte, »die den Völkern Preußens ebenso verhängnisvoll war wie Helena den Trojanern«.

Nun ist zwar erwiesen, unter anderem durch ein Gespräch, das Friedrich Gentz 1806 mit ihr führte, daß sie tatsächlich zur sogenannten Kriegspartei am Hofe gehörte, aber dieser Umstand wurde später so gut wie gar nicht tradiert. Denn er paßte nicht in die weiblich-passive Rolle, die sie als Vorbild der Frauen zu spielen hatte. Sie mußte die unschuldige Dulderin bleiben, die vom Aggressor ins Elend getrieben wurde und mit ihren Kindern Zuflucht in ärmlichen Hütten suchen mußte. Waren vor 1806 besonders ihre Schönheit und ihre Gatten- und Mutterliebe besungen worden, so wurde danach zusätzlich ihre Leidensfähigkeit thematisiert.

Auch Heinrich von Kleist, den die Königin vermutlich jahrelang finanziell unterstützt hatte und der etwa zur gleichen Zeit wie das Königspaar, nämlich im Winter 1809/10, nach Berlin zurückgekehrt war, hebt in seinem Luisen-Gedicht, dem schönsten von allen, das Duldenkönnen besonders hervor. Das Gedicht entstand aus Anlaß des letzten Geburtstages, den Luise erlebte. Der Dichter, der im Jahre darauf seinem Leben ein Ende setzen sollte, konnte es ihr, die nur noch vier Monate zu leben hatte, selbst überreichen, und sie war darüber, wie Kleist seiner Schwester berichtete, »vor den Augen des ganzen Hofes zu Tränen gerührt«. Das Gedicht, das in seiner dritten Fassung die bei den Romantikern so beliebte Sonettform erhalten hatte, preist neben Anmut und Schönheit Luises, die schon oft gerühmt worden waren, auch ihre Größe im Leiden, und als ahnte Kleist schon ihre spätere Heiligsprechung, legt er ihr hier bereits den Strahlenkranz um das Haupt.

Heinrich von Kleists Grab am Kleinen Wannsee um 1850.
Skizze von P. Meyerheim.

»An die Königin von Preußen
Zur Feier ihres Geburtstages, den 10. März 1810

Erwäg ich, wie in jenen Schreckenstagen,
Still deine Brust verschlossen, was sie litt,
Wie du das Unglück, mit der Grazie Tritt,
Auf jungen Schultern herrlich hast getragen,

Wie von des Kriegs zerrißnem Schlachtenwagen
Selbst oft die Schar der Männer zu dir schritt,
Wie, trotz der Wunde, die dein Herz durchschnitt,
Du stets der Hoffnung Fahn uns vorgetragen:

O Herrscherin, die Zeit dann möchte ich segnen!
Wir sahn dich Anmut endlos niederregnen,
wie groß du warst, das ahndeten wir nicht!

Dein Haupt scheint wie von Strahlen mir umschimmert;
Du bist der Stern, der voller Pracht erst flimmert,
Wenn er durch finstre Wetterwolken bricht!«

Es war ihr 34. Geburtstag, an dem der Königin dieses Gedicht von Kleist überreicht wurde. Am 19. Juli 1810 starb sie, in Gegenwart ihres Mannes, ihrer Freundin Caroline von Berg und Doktor Heims, ihres Arztes, in Hohenzieritz, Mecklenburg-Strelitz. Bei der Obduktion fand man einen zerstörten Lungenflügel und einen Polypen im Herzen. Im Tagebuch der Gräfin Voß heißt es dazu: »Die Ärzte sagen, der Polyp im Herzen sei eine Folge zu großen und anhaltenden Kummers« – woraus dann die Sage vom Opfertod der Königin entstand.

Die persönlichen Aufzeichnungen des Königs, die unmittelbar nach Luises Tod und an den folgenden Jahrestagen entstanden, die aber, abgesehen von fehlerhaften Auszügen, erst nach 1918 vollständig veröffentlicht wurden, erschüttern durch die Aufrichtigkeit des Schmerzes. Mehr als den Monarchen zeigen sie den Liebenden und den frommen Christen. Von politischen Gedanken sind sie ganz frei. Und doch war er es, der König, der zu einer Luisen-Verehrung mit institutionellem Rahmen den Auftakt gab.

Stein und Luise

Im Jahre 1811 machte der an Rhein, Lahn und Mosel reichbegüterte Freiherr vom Stein, der vor Napoleon hatte nach Prag fliehen müssen, seinem Ärger über den reformunwilligen märkischen Adel in einem Brief an Gneisenau in folgenden Worte Luft: »Ein Unglück für den Preußischen Staat ist es, daß die Hauptstadt in der Churmark liegt. Welchen Eindruck können ihre dürren Ebenen auf das Gemüt der Bewohner machen? Wie vermögen sie es aufzuregen, zu erheben, zu erheitern? Was kündigen sie an? Kümmerliches Auskommen, freudenloses Hinstarren auf den kraftlosen Boden, Beschränktheit in den Mitteln, Kleinheit in den Zwecken. Man nenne mir nicht Friedrich den Großen; die Hohenzollern sind Schwaben und sie haben sich fortgepflanzt durch Weiber aus fremden Völkerstämmen ...« – bei denen Stein vielleicht an die Hannoveraner dachte, von denen sich die ersten beiden preußischen Könige ihre Frauen geholt hatten, bestimmt aber an den Volksstamm der Mecklenburger, dem die im Vorjahr verstorbene Königin Luise entstammte, unter der er für kurze Zeit preußischer Minister gewesen

Bildnis des Freiherrn vom Stein von Friedrich Olivier (1821). Stein hatte bei seinen Reformplänen die Königin an seiner Seite. Intensiver als zu ihr aber war seine Beziehung zu ihrer Freundin Caroline von Berg.

war. Mit ihr hatte er sich besser verstanden als mit dem König. Er hatte mit ihr Briefe gewechselt. Ihre Freundin Caroline von Berg war auch die seine gewesen. In Bildungs- und Literaturfragen hatte er sie beraten. Sie hatte zwischen ihm, der leicht aus der Haut fuhr, und dem König, der sich leicht beleidigt fühlte, geschickt vermittelt. Und bei seinem Versuch zur Reformierung des Staates hatte er sie an seiner Seite gewußt.

Zwischen Luise und Stein gab es also historisch interessante Beziehungen, doch spielten die in dem später tradierten Leben Luises eine nur ganz untergeordnete Rolle, und zwar nicht, weil Stein sich manchmal auch kritisch über Luises Charakter geäußert hatte und nicht bereit war, an der goldenen Legende mitzuweben, sondern weil damit das Feld der politischen Auseinandersetzungen betreten wurde, auf dem Frauen nichts zu suchen hatten, und besonders das Vorbild der Frauen nicht.

Um ein Leben zu einem vorbildlichen zu machen, muß nicht unbedingt etwas hinzugefügt werden, es genügt oft, Unpassendes auszulassen oder abzuschwächen, wie es zum Beispiel mit einer Verstimmung zwischen Stein und Luise geschah. Gegen Ende seiner Amtszeit als preußischer Minister im Jahre 1808, im November, als man von Ostpreußen aus das klein und bitterarm gewordene Preußen regierte, wollte Luise, trotz der äußersten Notlage, von Königsberg aus einer Einladung des Zaren zu Weihnachts- und Neujahrs-Festtagen in Sankt Petersburg folgen, Stein aber konnte der kostspieligen und politisch ganz unnützen Reise in Elendszeiten nicht zustimmen, und er hielt der Königin vor, daß das Reisegeld in Masuren, das vom Kriege verheert worden war, zur Linderung äußerster Not gebraucht würde; aber umstimmen ließ sich die Königin nicht.

Diese achtwöchige Winterreise, zu der die auf Feste versessene und in den Zaren vernarrte Luise den auch erst reiseunwilligen König bewegen konnte, wird in jeder verherrlichenden Darstellung ihres Lebens beschrieben, die Auseinandersetzung mit dem Minister aber wird selten und nur am Rande erwähnt. Nie aber werden Steins Ablehnungsgründe näher erläutert, also die obdachlosen Bauern Masurens erwähnt. Denn Luises Mißachtung dieser Gründe hätte einen Zug ihres Charakters verdeutlicht, der der Erinnerung nicht würdig war. Um die Gestalt jener Luise, die nach ihrem Tod als musterhafte Frau weiterlebte, auf das Wesentliche verdichten zu können, mußten unangemessene Details geopfert werden. Der Mythos sollte eindeutig und handhabbar sein.

Nach dem gleichen, auch heute noch üblichen Muster ging vor, wer die Königin schmähen wollte; der strich, wie Franz Mehring zum Beispiel, der sie zum Scheusal machte und ihre Verehrung »byzantinischen Schwindel« nannte, ihren Streit mit Stein über die Reise zum Zaren als etwas die ganze Person Kennzeichnendes groß heraus.

Schutzgeist der Deutschen

Im Sommer 1811, etwa ein Jahr nach dem Tod der Königin Luise, kam ein Herr Pilegaard aus Frankfurt an der Oder, ein wohlhabender Mann mit wenig Bildung, der sich als Salzinspektor und Premierleutnant bezeichnete, in die Berliner Werkstatt des Bildhauers Schadow, um mit ihm ein marmornes Auftragswerk zu besprechen, von dem er genaue Vorstellungen hatte. Er wollte in seinem Haus eine Luisen-Gedenkstätte, »ein Monument, ein Epitaphium, Tempel oder Mausoleum errichten« und dafür ein Relief von Schadow gearbeitet haben, das die Apotheose der Königin darstellen sollte, und zwar in allegorischer Reichhaltigkeit. Außer der aufschwebenden Verklärten sollte es eine Weltkugel mit eingezeichnetem Sterbeort, Hohenzieritz, zeigen, dazu einen Todesengel und zwei trauernde Gestalten: Brennus und Borussia.

Der um seine Königin trauernde Auftraggeber, dem Schadow allerdings neben Trauer auch Geltungssucht unterstellte, kam mit seiner Vorstellung der zum Himmel aufgefahrenen Heiligen sicher einer verbreiteten Volksstimmung entgegen, was sich aber für das mythische Paar

Apotheose der Königin Luise von Preußen von Johann Gottfried Schadow. Stich nach dem Relief in der Paretzer Dorfkirche von Th. Järtniz.

der Borussia und des Brennus wohl kaum sagen läßt. Denn die wehrhafte Brünhildenfigur, die Preußen verkörpern sollte, erlangte eine gewisse Popularität erst im weiteren Verlauf des Jahrhunderts, und die Zeiten des bärtigen Brennus waren, abgesehen von Ausnahmen wie der des Geheimen Staatsrats Stägemann, der als Befreiungskriegsdichter die brandenburgischen Soldaten noch poetisch »Brennenleuen« nannte, inzwischen vorbei. Durch einen Irrtum oder eine absichtliche Verfälschung war der Gallier, der 387 vor Christus Rom erobert hatte, zum Gründer der Stadt Brandenburg gemacht worden, zu einem Aeneas der Mark. Der Irrtum oder die Irreführung war durch die Ähnlichkeit von Stammesnamen entstanden. In der Mark hatten die germanischen Semnonen gesessen, und Brennus hatte zum Gallierstamm der Senonen gehört. Ältere Historiker der Mark waren die Erfinder dieser Legende gewesen, Friedrich der Große hatte sie in seine »Geschichte des Hauses Brandenburg« übernommen, und der Dichter Ramler, der sich zum Sänger von Friedrichs Heldentaten berufen fühlte, hatte sie populär gemacht. Zwischen dem Siebenjährigen Krieg und der Niederlage von 1806/07 waren Brennus und seine »Brennen« bei Dichtern und Geschichtsschreibern in Mode gewesen, dann war die Wirkung dieses historisch unhaltbaren Mythos wieder verebbt.

Der Mythos Luise dagegen sollte sich als haltbarer erweisen, weil er viel mehr Substanz hatte und historisch beglaubigt war. Er war schon zu ihren Lebzeiten entstanden. Herr Pilegaard, von dem wir nichts weiter wissen, als daß er in den auf die Auftragserteilung folgenden Kriegsjahren Bankrott machte und das bestellte Werk nicht bezahlen konnte, war nur einer von vielen ihrer Verehrer, die sie nach ihrem frühen Tode mit einem Heiligenschein versahen, der auf Schadows Relief als Sternenkranz tatsächlich zu sehen ist.

Das Relief, das Schinkel mit einem aufwendigen Rahmen versehen hatte, wurde später von Friedrich Wilhelm III., dem Witwer, erstanden und (aus Platzgründen ohne den Rahmen) in der Patronatsloge der Paretzer Dorfkirche installiert. Hier sah es 1870 Theodor Fontane, der es, obwohl er Schadow sehr schätzte, nicht mochte, es »mehr eigentümlich als schön« nannte, die Vermischung von heidnischer und christlicher Symbolik als »Kunstmengerei und Religionsmengerei« bezeichnete und dabei unausgesprochen auch seiner Ablehnung übertriebener Luisen-Schwärmerei Ausdruck gab. Er schätzte, wie es an anderer Stelle heißt, an der historischen Luise »Reinheit, Glanz und schuldloses Dulden«, verachtete es aber, wenn die Verehrung den Boden geschichtlicher Wahrheit verließ. »Mehr als von der Verleumdung ihrer

Der Luisenaltar auf der Luisen-Insel im Tiergarten.
„Ihrer heimkehrenden Königin die Bewohner des Tiergartens 1809".
(Errichtet auf Anregung von Fr. Aug. Wolff 1810, ein Werk Schadows.)

Feinde«, sagt er, habe Luise »von der Phrasenhaftigkeit ihrer Verherrlicher zu leiden gehabt«.

Suspekt war Fontane die Verherrlichung Luises zu politischen Zwecken, wie sie bis ins 20. Jahrhundert hinein üblich war. Sie war aus der großen Verehrung hervorgegangen, die Luise zu Lebzeiten und mehr noch nach ihrem Tode zuteil geworden war. Die Romantiker, die in Gedichten ihren Gefühlen für sie Ausdruck gaben, fühlten sich mehr als Stimme des Volkes denn als politische Propagandisten, und der Luisen-Kult begann schon vor seiner staatlichen Förderung auf örtlicher Ebene, sozusagen von unten her. Luisen-Stätten gab es zu ihren Lebzeiten

Das Luisen-Denkmal in Gransee, nach einem Entwurf von Schinkel ausgeführt von der Königlichen Eisengießerei in Berlin. Es steht an der Stelle, an der bei der Überführung der Toten nach Berlin in der Nacht vom 23. Juli 1810 der Sarg abgestellt worden war.

nicht nur, wie schon erwähnt, in Alexandersbad am Fichtelgebirge, sondern auch an vielen anderen Orten, an denen die Königin sich aufgehalten hatte. Bürger Berlins hatten nach der Rückkehr des Königspaares aus Ostpreußen, 1809, auf einer Insel im Tiergarten den »Luisenstein«, eine Arbeit Schadows, mit der Inschrift »Ihrer heimkehrenden Königin« errichtet, und schon bald nach ihrem Tode erschienen, neben vielen Trauer- und Gedächtnispredigten, die ersten gedruckten Versuche, ihr Leben zu beschreiben, wie die anonymen Bände »Luise ... Ein Denkmal« oder »Zum Angedenken der Königin Luise ... eine Sammlung der vollständigsten und zuverlässigsten Nachrichten ...«, beide noch in ihrem Todesjahr. In Halle sah man, wie Henrich Steffens berichtet, beim Tode Luises »Schmerz ... auf allen Gesichtern; die tiefste Trauer herrschte in allen Häusern, und ein Gefühl schien einen jeden zu durchdringen, als wäre die letzte schwache Hoffnung mit dem Leben der angebeteten hohen Frau entwichen. ... Allgemein schrieb man den Tod der Königin der unglücklichen Lage des Landes zu: der Feind, sagte man sich, habe die Schutzgöttin des Volkes getötet.« Und wenn Alexander von Humboldt später, wie Varnhagen notiert, den Charakter der Königin ungünstig beurteilte, so wurde er dazu nur durch die anhaltende Luisen-Verehrung gereizt.

Daß er, neben der eigenen Trauer, auch die »Volksgesinnung« ausdrücke, sagt Achim von Arnim ausdrücklich in der Vorrede zur Druckfassung seiner Kantate »Nachtfeier nach der Einholung der Hohen Leiche Ihrer Majestät der Königin«, einem in wenigen Tagen gefertigten Auftragswerk. Darin versucht er, das trauernde Volk mit dem Gedanken zu trösten, daß die zum Himmel Aufgefahrene von dorther als »Schutzgeist« über Preußen wachen werde – so

Die Verklärung der Königin Luise. Nach einer Zeichnung von Ludwig Wolf, gestochen von J. J. Krethlow. Das Bild ist »Allen treuen Preußen gewidmet« und mit einem längeren Gedicht versehen, dessen letzte Zeilen lauten:
»Mit Blumen ist der Pfad des Lichts bekränzet,
Der IHR der Engel der Vergeltung beut
Und über der Verklärten Haupte glänzet
Die Sternenkrone der Unsterblichkeit;
Im heil'gen Kampf verhängnisvoller Tage
Ertönt um SIE des treusten Volkes Klage.«

daß die Trauerkantate frohgemut schließen kann:

»Uns umstrahlet die Entfernte,
Frisch zur Arbeit, frisch zur Ernte,
Wie die Sonne kehret wieder,
Blickt die Herrscherin hernieder,
Triumph, Triumph! Sie bleibt uns nah!
Singt dem Herrn Halleluja.«

Luise als »Schutzgeist«, nun aber »der deutschen Sache«, hat dann drei Jahre später auch Theodor Körner, der Sachse, besungen. Und Friedrich Rückert aus Franken, der in seiner Ballade »Magdeburg« vorschlägt, Luise, die »Makellose«, die »reine Himmelsmagd«, zur Schutzheiligen dieser Stadt zu machen, weil sie bei Napoleon in Tilsit um deren Rückgabe an Preußen gebeten hatte, läßt sie nach der höhnischen Ablehnung des Kaisers schon wenige Zeilen weiter zum Himmel steigen:

»O schönste aller Schönen,
Der Reinen reinste Du,
So hörtest Du das Höhnen
Und schwiegest still dazu;
Du hobest in die Lüfte
Den nassen Blick hinauf
Und wandtest über Grüfte
Bald selbst dorthin den Lauf.

Die Begegnung der Königin Luise mit Napoleon am 6. Juli 1807 in Tilsit. Gemälde von Franz Skarbina (um 1880).

Dort fandest Du gelinder
Für Deine Bitt ein Ohr
Um die Burg Deiner Kinder,
Die unsere Schuld verlor.
Dort hast Du sie erbeten
Für uns von Gott zurück
Und freust Dich, zu vertreten
Im Himmel Preußens Glück.«

Die Begegnung Napoleons mit der Königin Luise aus französischer Sicht. Gemälde von Nicolas Louis Gosse (1838). Von links nach rechts: Kaiser Napoleon, Zar Alexander, Königin Luise, König Friedrich Wilhelm III.

Das wurde 1814, nach der Wiedergewinnung Magdeburgs gedichtet; im Jahr zuvor aber hatte der königliche Witwer schon das Andenken der Verstorbenen zu einer staatlichen Sache gemacht. Er legte nämlich die Stiftung des Eisernen Kreuzes in einer nachträglichen Datierung auf den 10. März, also auf Luises Geburtstag. Das sollte die von ihm selbst entworfene und von Schinkel ausgeführte Kriegsauszeichnung, die, im Gegensatz zu früheren Orden, auch an einfache Soldaten vergeben wurde, nicht nur würdiger, sondern auch volksnäher machen. Das Lob des Eisens wurde daraufhin von Max von Schenkendorf, der an das schwarze Kreuz der Ritter des Deutschen Ordens erinnerte, und auch von Friedrich Rückert in einem seiner »Geharnischten Sonette« gesungen, wo er für die Träger des Eisernen Kreuzes den Ausdruck »Eisenritter« wählte, der sich aber nicht durchsetzen konnte; doch wurde die Auszeichnung, die dann 1870, 1914, 1939 erneuert und im Kaiserreich von einer lebenslangen »Ehrenzulage« von ein paar Mark im Monat begleitet wurde, durchaus populär. Fortan galt das Luisen-Gedenken als Symbol der Verbundenheit zwischen König und Untertanen, gleichsam als Verfassungsersatz.

Die Tradition der Verbindung von Eisernem Kreuz und Luise führte Wilhelm I. dann weiter, als er 1870, am Vorabend des Feldzuges gegen Frankreich, demonstrativ das Charlottenburger Mausoleum besuchte, das seit 1815 von Rauchs marmornem Grabdenkmal Luises geschmückt wurde, und die Erneuerung des Eisernen Kreuzes auf den Todestag seiner Mutter legte, so daß man sich auch im erneuten Kampf gegen die Franzosen an Theodor Körner halten konnte,

Textillustration von Franz Stassen zu dem Werk von Hermann Müller-Bohn: »Die deutschen Befreiungskriege«. Der erklärende Text dazu lautet: »Engel tragen das Bild der Königin Luise, Preußens Schutzgeist, zu den Sternen.«

der Luises Bildnis als ein »Heiligenbild für den gerechten Krieg« auf die Fahnen heften wollte und die im Kampf Gefallenen damit tröstete, daß Luise sie »sanft« zu ihrer »ew'gen Klarheit« bringen würde.

»Luise sei der Schutzgeist deutscher Sache. Luise sei das Losungswort der Rache.«

Will man dem weniger rachelüsternen Sänger der Befreiungskriege Fouqué glauben, so kursierte unter den Soldaten die »holde Sage, Königin Luise lebe, ihr Tod sei nur eine Täuschung gewesen … Wer hätte dem zu widersprechen vermocht? Es lag ja so tief und lebendig in der Sehnsucht eines liebenden Volkes, das ... seine gute, schöne Königin Luise wiederhaben wollte.« Das wußte der Dichter zwar besser, aber er fühlte, »die verewigte Königin bete für ihr Preußen an Gottes Thron«.

Es ist die Rolle der Jungfrau Maria, die Luise hier zugewiesen wird, nicht die der Kämpferin, der Jeanne d'Arc. Nie erscheint sie geharnischt, wie Borussia oder Germania. Nie tritt sie aus ihrer Frauenrolle heraus. Nicht ihrer Taten, sondern ihres Martyriums wegen wird sie wie eine Heilige verehrt. Denn im weiteren Verlauf des Jahrhunderts wird sie vor allem als Vorbild der Frauen gebraucht.

Ein heute mit Recht vergessener Dichter, Engelbert Albrecht, ein bayerischer Arzt, der nach 1871 seinen deutschen Patriotismus entdeckte und unter anderem »Kaiserlieder« veröffentlichte, hat, sich auf eine Marschall-Blücher-Anekdote beziehend, die Bedeutung Luises für das Kaiserreich noch einmal bildhaft zusammengefaßt.

»Blücher auf dem Montmartre

Es lag im Sonnenglanze die Stadt, noch stolz im Fall,
Da rief auf hoher Schanze der greise Feldmarschall:
Nun büßest du's, o Riese, der sich mit Hohn erfrecht,
Zu kränken uns Luise – Luise ist gerächt.

Noch seh ich deine Thränen, o holde Königin.
Dein Träumen und dein Sehnen nach deutschem
Heldensinn,
Der all' die Stämme raffe empor zur Nation
Und aus den Trümmern schaffe den alten Kaiser-
thron.

Noch seh ich her dich ragen in jener Zeit der
Schmach,
Wie nie du wolltest zagen, da alles sank und brach,
Auch nicht im fernen Memel, o edle Königin,
Wo Thron dir war ein Schemel und Stroh dein Bal-
dachin.

Dein Mut war's, dein Vertrauen, das Scharnhorst ließ
und Stein
Und das auch mich ließ bauen im hoffenden Verein
In jenen Jammertagen auf unsern alten Gott,
Der flammend nun getragen aus Schanden uns und
Not.

Noch heute grimmig pochen die Pulse mir vor
Schmerz,
Als endlich dir gebrochen das königliche Herz,
Und dich die Trauerkunde noch sterbend hoffen sah,
Den Ruf aus bleichem Munde: Ade, Germania!

O Königin von Preußen, als so das Herz dir brach,
Da mußten endlich reißen die Ketten tiefster
Schmach!

Da mußte sich ermannen das Volk zum heil'gen
Streit,
Zu rächen deinen Manen im Grabe noch das Leid.

Da liegt er nun, der Strudel, zu Füßen mir so still,
Der seiner Völker Rudel mit wütendem Gebrüll
Einst in die Welt gesendet, zu würgen alles Recht;
Das Werk ist nun vollendet, Luise ist gerächt.

So sprach der Held, der greise, und zog den Degen
blank:
Da brach es los im Kreise von hellem Jubeldank.
Da flatterten die Tücher, es donnerte: Hurra!
Hurra, du tapfrer Blücher! Hurra Germania!«

In den Befreiungskriegen war es in Ausnahmefällen auch vorgekommen, daß Bürgermädchen sich direkt an den Kämpfen beteiligten, wie Johanna Stegen zum Beispiel, die in Lüneburg die Soldaten im Gefecht mit Patronen versorgte, oder Eleonore Prohaska, die als Mann verkleidet bei den Lützowern eingetreten war. Doch waren das unverheiratete Mädchen aus den niederen Schichten, denen man den Rollenwechsel aus vaterländischen Motiven verzeihen konnte, und wenn man sie feierte, wurde nie der Hinweis auf ihre Sittsamkeit und ihr ansonsten häusliches Wesen versäumt.

Zu dem Kultbild Luises, dem alle kriegerischen und politischen Aktivitäten fehlten, gehörte aber selbstverständlich eine tiefe Anteilnahme am Schicksal des Vaterlandes, doch mußte diese passiv sein. Schon Schleiermacher hatte in seiner Trauerpredigt auf den Tod Luises darauf hingewiesen, daß die Königin in politischen Fragen nie die Grenzen, die durch den »Unterschied des Geschlechts« bestimmt werden, überschritten habe und doch nicht unwirksam gewesen sei. Ihre Wirksamkeit sei eine

Stille des Gemüts gewesen. Sie habe dem König und den königlichen Kindern »im häuslichen Kreise stärkend, beruhigend, erheiternd Glück« bereitet und die Ideen des »Guten und Schönen« in sie gepflanzt. Auch die Gedichte auf ihren Tod von Fouqué (»Zwei Augen ruhn im Grabe / So fromm und blau ...«), von Schenkendorf (»Rose, schöne Königsrose, / Hat auch Dich der Sturm getroffen?«) und Körner (»Du schläfst so sanft! Die stillen Züge hauchen ...«) reden von Hoffnungen und Tröstungen, nie von Taten. Die vielfach bezeugte Parteinahme Luises für die Reformer und ihre Versuche, den stets zögernden König zu Entscheidungen zu bewegen, spielten auch im späteren Gedenken kaum eine Rolle. Immer war man um die Hervorhebung ihrer als weiblich geltenden Eigenschaften bemüht.

Mit dem Luisen-Orden, den Friedrich Wilhelm III. 1814 stiftete und den seine Nachfolger zweimal erneuerten, wurden Frauen nicht für kriegerische Verdienste, sondern dafür ausgezeichnet, daß sie »den Männern unserer tapferen Heere ... in pflegender Sorgfalt Labsal und Linderung« brachten, wie es im Ordensstatut heißt. Pflegerische, soziale oder erzieherische Aufgaben hatten auch alle Einrichtungen, die nach Luise benannt wurden. Neben Luisen-Schulen und Luisen-Gymnasien für Töchter gab es ein Stift ihres Namens zur Waisenkinder-

In dem Statut des Luise-Ordens vom 3. August 1814 wird die Auszeichnung so beschrieben: »Das auf beiden Seiten himmelblau emaillierte runde Schild in der Mitte des Kreuzes hat auf der Außenseite den Buchstaben L und um denselben einen Sternenkranz.«
Die sieben Sterne des Kranzes sollten die sieben bei Luises Tod noch lebenden Kinder symbolisieren.

fürsorge und eine Stiftung zur Erziehung deutscher Erzieherinnen, die die in den vornehmen Familien noch üblichen französischen Gouvernanten ablösen sollten. Diese Einrichtung wurde unmittelbar nach Luises Tod, noch im Jahre 1810, gegründet, und der Spendenaufruf, der trotz der schlechten wirtschaftlichen Lage Erfolg hatte, sah in Luise das »Muster, das Sie

Selbst als Gattin und Mutter uns aufstellte«, und wollte ihre »Tugenden ... zum Eigentum vieler werden« lassen, worunter besonders verstanden wurde: »Ihr Sinn für Häuslichkeit, Ihre treue Liebe zum Gemahl und zu Ihren Kindern, Ihr Gefühl für alles, was gut und edel und groß ist«.

Das Mütterliche war in Luise schon immer verehrt worden, doch trat dieser Aspekt mehr und mehr in den Vordergrund, als ihr Sohn Wilhelm Kaiser geworden war. Leicht ablesbar ist das, neben der Trivialbiographik, auch in der bildenden Kunst. Familienszenen von Luise, ihrem Mann und den Kindern waren auch schon zu ihren Lebzeiten entstanden, doch hatten die meisten der bis 1810 gemalten Bildnisse allein sie zum Thema. Vergleicht man nun diese etwa drei Dutzend Porträts miteinander, so muß man, da sie drei Dutzend verschiedenartige Frauen zeigen, zu dem Ergebnis kommen, daß man vom tatsächlichen Aussehen Luises nichts weiß. Schon in Kleists »Berliner Abendblättern« war 1810 auf diesen seltsamen Umstand aufmerksam gemacht worden, und anläßlich der Berliner Akademie-Ausstellung, in der das angeblich besonders authentische Luise-Porträt von Wilhelm Schadow gezeigt wurde, erklärte man sich das so: »Bey Lebzeiten Ihrer Majestät ist es keinem Mahler gelungen, ein nur einigermaßen ähnliches Bild von Ihr hervorzubringen. Wer hätte es auch wagen dürfen, diese erhabene

Schmuckkreuz und Brosche aus Eisen, die nach Luises Tod viel getragen wurden. Der Rand um die Bildnisse war vergoldet.

und doch so heitere Schönheit, die lebendige, bewegliche, geistreiche, holdselige Freundlichkeit und den ganzen unendlichen, immer neuen Liebreiz Ihres Wesens neben dem Ausdrucke sinnigen Ernstes und der würdevollen Hoheit in dieser königlichen Frau festhalten oder gar wiedergeben zu wollen? Erst nachdem sie selbst hinweggenommen worden ist und die niederschlagende Vergleichung mit dem unerreichbaren Original nicht mehr stattfinden kann, scheint die begeisterte Trauer, womit um sie geklagt wird, Ihr Bild treuer ergriffen zu haben.«

Kronprinzessin Luise mit ihrem ältesten Sohn Friedrich Wilhelm (IV.). Pastellbild von Johann Heinrich Schröder (1796), das das bürgerlich-romantische Ideal inniger Familienbeziehung ausdrückt, aber auch schon auf die spätere Verehrung Luises als Madonna hinweist.

Schon 1796 war in Nachahmung von Raffaels »Madonna della Sedia« ein Ölbild der Kronprinzessin mit ihrem ältesten Sohn im Arm gemalt worden, doch häuften sich die Mutterbilder erst nach 1871, als Luise Kaisermutter wurde, und dann 1876, zu ihrem hundertsten

Geburtstag. Dabei tendierte die damals blühende Historienmalerei beim Luisen-Thema oft zum Kitsch. Da kommt Luise im weißen Kleid, ihr blondes Söhnchen Wilhelm an der Hand führend, beschwingt eine Freitreppe herunter (Gustav Richter); da geht Luise mit ihren Söhnen Friedrich Wilhelm (IV.) und Wilhelm (I.) in Königsberg im Park spazieren (Karl Steffeck); und ein Bild mit dem Titel »Königin Luise bekränzt den Prinzen Wilhelm auf ihrer Flucht nach Memel mit Kornblumen« wird 1889 von der Zeitschrift »Der Bär« so beschrieben: »In fesselnder Weise hat uns der Maler A. Zick jenen sagenhaften, aber volkstümlich gewordenen Vorfall dargestellt, welcher sich bei der Flucht der Königin Luise von Königsberg nach Memel ereignet haben soll: die Bekränzung des Prinzen Wilhelm mit Kornblumen. Der Wagen, welcher die Königin mit ihren Kindern nach der weitentlegenen Feste des preußischen Staates bringen soll, ist zusammengebrochen; die Fürstin ist genötigt, am Raine eines Getreidefeldes zu verweilen; sie pflückt die Cyanen, welche ihr Lieblingsdichter Schiller so schön besungen hat; sie flicht sie in das goldblonde Haar ihres jüngeren Sohnes. Die historische Kritik hat mit Recht den poesievollen – angeblich tatsächlichen – Vorgang angezweifelt; aber die vaterländische Sage hat das Recht, von der bildenden Kunst der Nation gepflegt zu

Königin Luise mit ihrem Sohn Wilhelm, dem späteren ersten deutschen Kaiser. Nach einem Gemälde des Berliner Malers Gustav Richter (1879).

Luise als stolze Mutter eines Königs und eines Kaisers – wie die Kaiserzeit sie sich vorstellte. Gemälde des auch als Pferdemaler bekannten Carl Steffeck (1886).

Luise bekränzt den Prinzen Wilhelm (I.) auf der Flucht nach Memel mit Kornblumen. Illustration in der »Der Bär«, 16. Jahrgang (1889-1890). Nach einem Gemälde von A. Zick.

werden. Blumen des heimischen Feldes – die allerbescheidensten – sind es gewesen, welche zuerst das schöne Haupt geschmückt, das hehr und hoch wie nimmer eins erstrahlen sollte ob dem ganzen deutschen Volke. Die Geschichtswissenschaft sowie die monumentale Kunst des Vaterlandes haben nunmehr die heilige Pflicht übernommen, ihr ganzes Können einzusetzen, um statt des Kornblumenkranzes den vollsten Lorbeer um des großen Kaisers majestätische und doch so leutselig-holde Stirn zu winden.«

Aber auch die Bildhauer waren bei der Luisen-Ehrung nicht müßig. Gegen Ende des Jahrhunderts entstanden in Berlin in kurzer Zeit gleich drei Plastiken. Erdmann Encke, der schon für die Hasenheide das Jahn-Denkmal geschaffen hatte, wurde mit einer »Luise« für den Tiergarten beauftragt, bei der er aber wenig Gestaltungsmöglichkeiten hatte, da das Denkmal als Pendant zu Drakes schon vorhandenem »Friedrich Wilhelm III.« gedacht war. Eine schlichte, nachdenklich blickende Luise steht hier im Empirekleid mit Spitzenschleier auf einem reliefverzierten Rundsockel und läßt heute nicht mehr ahnen, mit welchem Pomp am 10. März 1880 ihre Enthüllung in Anwesenheit des Kaisers gefeiert worden war. Ein riesiges Ölgemälde von Fritz Werner hat dieses Ereignis der Nachwelt erhalten. Da stehen auf dunkelrotem Teppich unter Girlanden und wehenden Fahnen

Denkmal für die Königin Luise im Tiergarten von Erdmann Encke (1880). Finanziert wurde es durch eine Geldsammlung bei den Berlinern, zu der 1876, zum 100. Geburtstag Luises, aufgerufen worden war.

der greise Kaiser und sein schneidiger Enkel, daneben die Militärs und Minister, die Künstler und Schriftsteller, darunter Begas und Menzel, Fontane, Spielhagen und Wildenbruch.

Emil Hundriesers »Luise« von 1888, die er für die Nationalgalerie später in Marmor ausführte, hat das Besondere, daß sie sitzt und ein Buch in der Hand hält, was ihr fast intellektuelle Züge verleiht. Eine Anerkennung größerer Bevölkerungskreise konnte er damit nicht erringen; diese wurde dagegen wenig später Fritz Schaper, der sich genauer auf der vorgegebenen Linie des Luisen-Kults bewegte, in reichlichem Maße zuteil.

Seine Statue »Königin Luise mit dem Prinzen Wilhelm«, die bald schon als »Preußische Madonna« bekannt wurde, hatte Schaper ursprünglich als Stuckfigur für eine 1897 gestaltete Feststraße zum hundertsten Geburtstag Kaiser Wilhelms I. geschaffen und erst auf Anforderung Wilhelms II. überlebensgroß in Marmor ausgeführt. Für dieses Werk, das später das Pestalozzi-Fröbel-Haus zierte und heute verschollen ist, erhielt er auf der Akademie-Ausstellung von 1901 die Große Goldmedaille, und da die majestätisch eine Treppe hinabschreitende Luise, die den künftigen Kaiser wie den Jesusknaben im Arm hält, auch beim breiten Publikum gut ankam, wurde sie auch in Bronze gegossen und im Kleinformat aus Elfenbein-

Königin Luise mit dem Prinzen Wilhelm von Fritz Schaper (1897), die sehr populär wurde und den Beinamen Preußische Madonna erhielt. Sie entstand, da Luise eine Verehrerin Pestalozzis war, im Auftrag des Pestalozzi-Fröbel-Hauses. Der Kopf Luises mit dem unter dem Kinn entlanggeführten Tuch ist deutlich Schadow nachempfunden.

masse, Gips oder Marmor für den Hausgebrauch hergestellt.

Die Kaiserzeit war nicht nur die Hoch-Zeit der Luisen-Verehrung, sie tendierte auch zu einer stärkeren Differenzierung. Neben ihre volkstümliche Variante, die immer sagenhafter und pseudosakraler wurde, trat die wissenschaftliche, die um historische Wahrheit bemüht war, aber im allgemeinen die erstere als volksbildnerisch wertvoll auch gelten ließ. Gelegenheiten zu Luise-Feiern gab es viele, besonders natürlich die hundertste Wiederkehr ihres Geburts- und Todestages, 1876 und 1910.

Vorrangig war es natürlich, schon den Kindern das Vorbild Luise näherzubringen. So wurde zum Beispiel im Februar 1876 von der Schulverwaltung eine Anweisung zur Gestaltung der Feiern an Volksschulen herausgegeben, in der es heißt: »Ich bestimme daher, daß am 10. März in allen öffentlichen und Privat-Mädchenschulen der Unterricht ausfallen und an dessen Stelle eine Feier treten soll, in welcher der Geschichtslehrer oder der Dirigent der Anstalt den Schülerinnen im freien Vortrage das Lebensbild der erlauchten Frau vorführt, welche in den Zeiten des tiefsten Leidens so opferfreudig an der Erhebung des Volks mitgearbeitet und allen kommenden Geschlechtern ein hohes Beispiel weiblicher Tugend gegeben hat.« An besonders fleißige Schülerinnen sollen Le-

Die königliche Familie auf der Pfaueninsel. Rechts Luise und Friedrich Wilhelm III.; die beiden älteren Knaben sind Friedrich Wilhelm (IV.) und Wilhelm (I.), der blumenpflückende jüngere Karl, das jüngere Mädchen Alexandrine und das ältere Charlotte, die spätere Zarin Alexandra Feodorowna. Gemälde von Waldemar Friedrich (um 1890).

bensbilder der Königin als Prämien ausgegeben werden. »In den Knabenschulen ... tritt die Feier an die Stelle der beiden letzten Unterrichtsstunden des Vormittags.«

Auch auf diese Schulprämien war es wohl zurückzuführen, daß die Verlage in diesen Jahrzehnten eine Unzahl von populären, für die Jugend bestimmten Luise-Büchern herausbringen und auch verkaufen konnten, wie zum Beispiel »Luise, Königin von Preußen. Ein Vorbild weiblicher Tugenden. Historische Erzählung für die Jugend von C.V. Derboeck, Verfasser von Nordenskölt im ewigen Eise, mit Farbdruck-Illustrationen nach Original-Zeichnungen von Gustav Annemüller« oder Marie von Felsenecks Luise-Erzählung, »der deutschen Jugend gewidmet«, die ebenso wie die anderen ihrer mehr als fünfzig süßlichen Mädchenbücher für kleine Leserinnen ein Training im Frau-Sein der Kaiserzeit war.

Die meist farbigen Illustrationen dieser und anderer Bücher zeigen immer wieder die gleichen Anekdoten-Szenen: Luise und Friederike am Brunnen im Hof des Hauses bei der Frau Rath Goethe, Luise als Braut vor der Ehrenpforte, das weißgekleidete Mädchen umarmend, Luise beim Erntefest unter den Bauern von Paretz, Luise auf der Flucht über die Kurische Nehrung und beim Gespräch mit Napoleon, die sterbende Luise in Hohenzieritz – oder

No. 154.
Königin Luise.
Ein Lebensbild
Der
deutschen Jugend
gewidmet
von
Marie von Felseneck.

auch, als Braundruck, Luise als Engel, darunter der Dreizeiler:

»Zu gut für eine Welt voll Mängel,
Schwebt sie, ein früh verklärter Engel,
Dem Himmel, ihrer Heimat, zu.«

»Ein fleißiger Sammler hat allein 391 Dichtungen aufgezählt, welche die große Liebe zu der Verklärten beweisen«, heißt es in einem der vielen, »dem deutschen Volke erzählten« Luise-Bücher der Jahrhundertwende, deren erfolgreichstes wahrscheinlich der großformatige, auch als Vorzugsausgabe in kostbarer Ausstattung erschienene, 1981 erneut nachgedruckte Bildband der Uniform- und Schlachtenmaler Carl Röchling und Richard Knötel war. »In 50 Bildern für Jung und Alt«, die mit knappen Erklärungstexten auskommen, läuft hier das Leben Luises wie ein farbiger Film vor den Augen des Betrachters ab. Verglichen mit den oft einfältigen Illustrationen der Jugendbücher waren

Eines der vielen Luise-Bücher für die Jugend. Es schließt mit folgenden Sätzen: »Ja, ein Engel an Sanftmut und Milde, an Schönheit und Majestät war die Verewigte gewesen, gleich groß und erhaben in Freud und Leid. Ihr Gedächtnis wird im deutschen Volke fortleben – und so lange noch deutsche Zungen von deutschen Fürstentugenden berichten, so lange wird der Name Königin Luise strahlen in heller, hoher Herrlichkeit.«

Königin Luise

als Engelsbild im Ring der Ewigkeit

gez. von J. W o l f f, gest. von Joh. Friedr. J ü g e l.

„Zu gut für eine Welt voll Mängel,
Schwebt sie, ein früh verklärter Engel,
Dem Himmel, ihrer Heimat, zu.“

Eines der »50 Bilder für Jung und Alt«: Die Begegnung Luises mit Napoleon in Tilsit. Kaum ein Luise-Buch ist so volkstümlich geworden wie dieses mit seinen bunten und übersichtlichen Bildern, das keine Anekdoten-Station ihres Lebens ausläßt.

hier, besonders die Uniformen betreffend, wirkliche Könner am Werk.

Auf deutschen Bühnen erfolgreich war nach der Reichsgründung unter anderen auch der ostpreußische Dramatiker und Romanschreiber Ernst Wichert (nicht zu verwechseln mit Wiechert), der 1877 ein »Dramolet in einem Aufzuge« unter dem Titel »Die gnädige Frau von Paretz« herausbrachte, in dem sich Luise auch im idyllischen Landleben als Kennerin und Förderin der Künste erweist. Hauptperson neben ihr ist hier überraschenderweise, aber historisch nicht ganz abwegig, Christian Daniel Rauch, ihr junger Kammerdiener, dessen künstlerische Talente von ihr entdeckt werden, und den sie am Ende, zu seiner und des Publikums Freude, zur Ausbildung nach Italien schickt.

Unter den ernsthaften Biographen Luises verdient der Schriftsteller Friedrich Adami besondere Beachtung. Seine Biographie, die auf den nachgelassenen Aufzeichnungen der Caroline von Berg fußt, erschien erstmals 1851, dann verbessert und vermehrt immer wieder. 1906 war die 18. Auflage erreicht. Bei aller Verehrung, die er der Königin entgegenbrachte, bemühte er sich doch um historische Wahrheit und setzte sich von mancher frommen Legende ab.

Vor ähnlichen Problemen standen auch die prominenten Historiker, die bei den Jubiläen die offiziellen Festreden hielten: 1876 Theodor Mommsen und Heinrich von Treitschke, 1910 Otto Hintze. Alle waren darum bemüht, sich als Wissenschaftler zu erweisen, ohne den staatlich sanktionierten Mythos Luise, den Treitschke als »volkstümliche Überlieferung« bezeichnet, zu diskreditieren, was am souveränsten Otto Hintze gelang.

Mommsen rettete sich aus der Welt der Tatsachen in die der Gefühle: Luise sei die deutsche

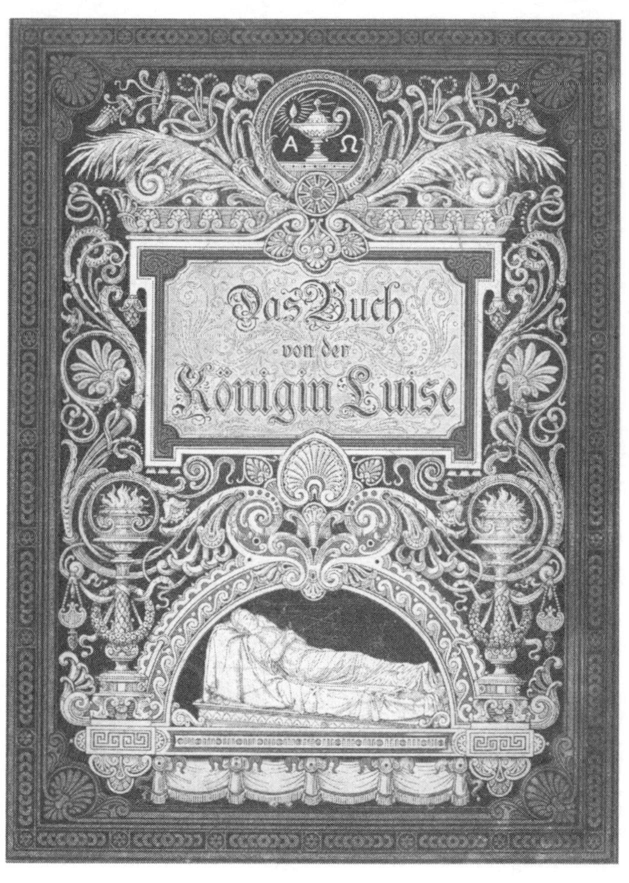

Ein großformatiger Prachtband von Georg Horn, 1884 in 3. Auflage erschienen. Das antiquarisch erstandene Exemplar trägt folgende handschriftliche Widmung: »Zur Erquickung und Erhebung bei der Christbescherung 1887 einer treuen, braven Braut mit den herzlichsten Grüßen gespendet von Dr. (unleserlich), Prediger, Rathenow, den 24. Dezember 1887«.

Frau, die »die beiden innigsten Empfindungen, die dem Menschen gegönnt sind: die Ahnung des ewig Weiblichen und das Opfergefühl, für uns personifiziert«. Treitschke erklärte zwar zu Beginn seiner Rede, daß die »Erinnerung ihres dankbaren Volkes« die Königin zu einer »Lichtgestalt« verklärt habe, die historische Wissenschaft aber einem solchen Idealbild nicht folgen könne, da sie auch »die Schranken der Begabung, die endlichen Bedingungen des Wirkens« auch edler Menschen zu zeigen habe. Dann folgt er indes nur den gängigen, zur Schablone gewordenen Lebensstationen Luises, vom Besuch der Prinzessinnen bei Goethes Mutter bis »zum verzehrenden Kummer über das Schicksal des Landes«, dem »ihr zarter Körper erlag«. Besonderen Wert legt der Redner dabei auf die Feststellung, daß Luises Vorzüge rein weibliche waren, die, dem »bis zur Herbheit männlichen Charakter« Preußens entsprechend, mit Politik nichts zu tun hatten: »Dem öffentlichen Leben sind die Frauen Preußens immer fern geblieben ... Ganz deutsch, ganz preußisch gedacht ist das alte Sprichwort, das jene Frau die beste nennt, von der die Welt am wenigsten redet. Keine aus der Reihe begabter Fürstinnen, welche den Thron der Hohenzollern schmückten, hat unseren Staat regiert. Auch Königin Luise bestätigt nur die Regel. Ihr Bild, dem Herzen ihres Volkes eingegraben, ward eine Macht in der Geschichte

Preußens, doch nie mit einem Schritte übertrat sie die Schranken, welche der alte deutsche Brauch ihrem Geschlechte setzt. Es ist der Prüfstein ihrer Frauenhoheit, daß sich so wenig sagen läßt von Taten.«

Daß Luisen-Legende und historische Erkenntnis nicht immer übereinstimmten, sagt zu Beginn seiner Rede auch Otto Hintze, und als überzeugendes Beispiel dafür dient ihm Luises Tod. Nicht an gebrochenem Herzen, sondern an Lungenentzündung sei sie gestorben; ihr Opfertod sei, wie der ihr von Kleist verliehene Strahlenkranz, eine poetische Verklärung, die zwar auch ihren »tiefen Sinn« für das Volk habe, dem Historiker aber in ihrer Vereinfachung nicht genügen könne; denn dem komme es darauf an, die bewunderungswürdige Gestalt der Gegenwart menschlich näher zu rücken, was nur durch Differenzierung und Aufzeigen ihrer Entwicklung möglich sei.

Und Hintze versucht tatsächlich, der Verehrung, ohne sie zu verringern, einen anderen Akzent zu geben, indem er Luises Selbsterziehung als rühmenswert darstellt und ihr selbständiges Denken attestiert. »In dem religiösen Glauben und in der preußischen Gesinnung hatte sie einen gemeinsamen Boden des Lebens und des Verständnisses mit ihrem Gemahl. Aber darüber hinaus hatte sie noch ihre eigne geistige Welt; und diese ... hat sie sich auch durch die Gleich-

Friedrich Wilhelm III. mit seinen Söhnen Friedrich Wilhelm (IV.) und Wilhelm (I.) am Sterbebett der Königin Luise in Hohenzieritz. Am Kopfende des Bettes stehen der Arzt Heim, die Gräfin Voß und Caroline von Berg, am Fußende Luises Vater und Bruder. Nach einer Zeichnung von Heinrich Anton Dähling gestochen von Daniel Berger (1811).

gültigkeit, ja Abneigung des Königs nicht rauben oder verleiden lassen: das war die Welt der großen Dichter und Denker …« Durch des Königs Mißtrauen sei zwar ein Musenhof in Berlin nicht entstanden, »aber es war doch nicht ohne tiefere Bedeutung, daß die geistigen Bande, die sich eben damals zwischen Weimar und Berlin bildeten, auch in den höchsten Kreisen eine Anknüpfung fanden. Auf der Verbindung zwischen dem harten preußischen Staatsgeist und der neuerblühten deutschen Bildung beruhte ja damals die Zukunft unserer nationalen Entwicklung. ... So hat sich die Königin Luise in den Schranken ihres Hauses und Hofes zu einer geistig und sittlich bedeutenden Persönlichkeit entwickelt«, deren »Hauptverdienst« es dann auch war, die ihr geistig verwandten Reformer an den auch in dieser Hinsicht zögernden König heranzubringen. Hintze war also, ohne die Legendenbildung zu verunglimpfen, um die historische Begründung der als berechtigt angesehenen Verehrung bemüht.

1908 veröffentlichte der Historiker Friedrich Meusel den vollständigen Text der Autobiographie des Reformgegners F.A.L. von der Marwitz, der in zweiter Ehe eine Hofdame der Königin, die Gräfin Moltke, geheiratet hatte, deshalb manches Intime über Luise wußte, sie als Freundin der Reformer nicht sonderlich schätzte und, neben Lobendem, auch Kritisches über sie schrieb. Das aber wurde in wilhelminischen Zeiten als so ungehörig empfunden, daß der sonst so zuverlässige Meusel bei der Herausgabe der Marwitzschen Memoiren bei Passagen mit besonders kritischen Äußerungen über Luise mit der Fußnotenbegründung, hier urteile Marwitz zu subjektiv, eine Textlücke ließ.

»Das Deutsche Reich ist tot! Preußen folgt nach! – Mit harten Tritten ging Stein zur Türe. – Deutschland ist nicht tot! rief Frau von Berg zitternd in die verstört stehende Gesellschaft. Nun werdet ihr die Luise kennenlernen!«

Nach dem »Fridericus« von 1918 erschien 1919 der zweite Band von Walter von Molos Romantrilogie »Ein Volk wacht auf« unter dem Titel »Luise«, ein Zeitroman in historischem Gewand. Die von Preußen verlorene Schlacht von Jena und Auerstedt, in deren Vorfeld obige Szene spielt, steht hier für den von Deutschland verlorenen Weltkrieg, und in Luise wird die Hoffnung auf Deutschlands Zukunft personifiziert. Ein Briefzitat von ihr wird als Motto vorangestellt: »Wir müssen durch: sorgen wir nur dafür, daß wir mit jedem Tag reifer und besser werden.«

Im Gegensatz zu der von den Hohenzollern geförderten Legende, die Luise als Mustergattin und -mutter zeigte, macht Molo aus ihr nach der Entmachtung der Hohenzollern eine Entwicklungsheldin, die sich, enttäuscht von der Flachheit und Leere des Lebens bei Hofe, von

Illustration zu Marie von Felsenecks Luise-Buch für die Jugend: Luise schreibt in ihrem armseligen Winterquartier in Ostpreußen Goethes Verse: »Wer nie sein Brot mit Tränen aß...« mit ihrem Diamantring an die Fensterscheibe. Die Szenerie des Bauernhauses benutzt Walter von Molo für seinen pathetischen Schlußmonolog.

einer ungebildeten und unpolitischen Prinzessin zu einer Vorkämpferin für ein freies und einiges Deutschland mausert und damit zum Widerpart ihres feige zögernden Mannes und zur Parteigängerin Hardenbergs, Steins, Blüchers und eines zum Widerstand gegen Napoleon entschlossenen Volkes wird.

Die letzten Romanseiten zeigen Luise auf der Flucht in der Kälte des ostpreußischen Winters. In einem ärmlichen Quartier liegt sie, in einen Pelzmantel gehüllt, vor dem Kamin auf den Knien und betet das Vaterunser, wobei sie den Bitten »Und vergib uns unsere Schuld« und »Erlöse uns von dem Übel« eine auf den Mangel an Kriegsbereitschaft in Preußen und das Übel Napoleon bezogene aktuell-politische Bedeutung gibt. Die letzten Worte, mitsamt den das Pathos verstärkenden Absätzen und Pünktchen, sind dann diese:

»Wie ein Heiligenschein floß das durchleuchtete Haar um ihr Haupt, wie Schlangen ringelte es sich über den offenstehenden Pelz zu den Brüsten, deren Weiße Luisens bekennende Finger umschlossen und bergend an sich preßten, als gewönne sie dadurch Kraft. Denn Dein ist das Reich und die Kraft und die Herrlichkeit ... in Ewigkeit ... Amen! Denn Dein ist das ... Reich?

Luisens Augen glänzten auf, sie ... lächelten ins Flammenlicht.

Denn Dein ist das ... Reich!?
Dein ist ... das Deutsche Reich!?
Frohlockend hob sie die Arme.
Sie rang die Hände zum Sternenhimmel.
Deutsch sein heißt Mensch sein! Oh Gott!
Schaffe dies Deutschland!«

Das zielte nicht nur auf eine Menschwerdung der Untertanen durch die Stein-Hardenbergschen Reformen, sondern auch auf eine menschliche Gemeinschaft im neuen Staat von 1919. Aus der braven Luise der Hohenzollern war bei Walter von Molo, der sich später übrigens nie mit den Nationalsozialisten gemein machte, sondern in den zwölf Hitlerjahren konsequent die innere Emigration wählte, eine politisch aufbegehrende republikanische Deutsch-Nationale geworden – ein Beispiel von vielen für die literarische Nutzung von Mythen für Zwecke der Gegenwart.

Ein Erfolg dieser Methode, wie ihn Molo damals erzielte, setzte voraus, daß die Mythe, die nuanciert oder völlig umgewertet wurde, zum allgemein bekannten Bildungsgut gehörte, und das war kurz nach dem Ende des Kaiserreiches bei der Königin Luise durchaus noch der Fall. Darauf setzten auch die Dramatiker, die in den zwanziger Jahren neben griechischen Göttern auch Tristans und Gudruns, Yorks und Louis Ferdinands auf der Bühne agieren und Pro-

KRONPRINZESSIN

LUISE

EIN SCHAUSPIEL VON LUDWIG BERGER

Die heitere sorglose Jugend der Kronprinzessin und ihr melancholisch-reines Liebesverhältnis zu Louis Ferdinand. In diesem Widerstreit siegt der gerade Charakter des Kronprinzen. Heimkehr zur Pflicht.

Schutzumschlag des 1926 im Propyläen-Verlag Berlin erschienenen Schauspiels. Das Szenenfoto zeigt Käthe Dorsch als Luise und Lothar Müthel als Prinz Louis Ferdinand in der Uraufführung.

bleme des zwanzigsten Jahrhunderts bereden ließen. Auch Luise durfte hier wieder auferstehen.

Der Autor des Schauspiels »Kronprinzessin Luise«, dem wenig später noch eine »Königin Luise« folgte, war der aus Mainz stammende Ludwig Berger (eigentlich Bamberger), den Max Reinhardt 1919 nach Berlin geholt hatte, wo er an den wichtigsten Bühnen als Regisseur, besonders klassischer Stücke, große Erfolge erzielte, der ab 1925 auch als Filmregisseur bei der UFA und in Hollywood bekannt wurde, 1933 in die USA emigrierte, 1947 nach Deutschland zurückkehrte und noch einige historische Erzählungen und Biographien schrieb.

Uraufgeführt wurden seine beiden Luise-Stücke im Januar und Februar 1926 am Berliner Schauspielhaus und am Lessing-Theater, und sie wurden große Publikumserfolge, was vielleicht an der Preußen-Nostalgie jener Jahre lag, vielleicht aber auch an der Luise der Käthe Dorsch. Das Stück von der Kronprinzessin nutzt das nie verstummte, aber auch nie bewiesene Gerücht von einer mehr oder weniger keuschen Liebesgeschichte zwischen Prinz Louis Ferdinand und Luise zur Austragung des alten Konflikts zwischen Neigung und Pflicht. Die noch unreife Luise, die unter den Zwängen des Hofes leidet, droht der Verführung durch die Freiheitsphantasien Louis Ferdinands zu erliegen.

Schon hat sie ja gesagt zu seinem Plan einer Entführung, da kann ihr Mann ihr in letzter Minute noch den rechten Weg weisen, indem er fest an ihre Unschuld glaubt. Er, der Liebende, ist hier der Stärkere, und er hat als Verkörperung preußischer Pflichterfüllung die greise Oberhofmeisterin Gräfin Voß ständig an seiner Seite. Im zweiten Schauspiel, dem von der Königin, wird dann im Unglück Luise die Stärkere sein.

Da jeder, der zu Kaisers Zeiten die Schule besucht hatte, den Luisen-Stoff kannte, konnte auch der Film, die Kunst für die Massen, an dieser Geschichte mit Herz und Schmerz nicht vorbeigehen. Nachdem schon 1913 und 1927 sich der Stummfilm an ihm versucht hatte, wurde 1931 im Zuge einer filmischen Preußen-Welle ein Luise-Tonfilm, frei nach dem Roman von Walter von Molo, gedreht. Unter der Regie von Carl Froelich, der zwei Jahre später im »Choral von Leuthen« Friedrich den Großen und seine Kriege verherrlichen sollte, spielte hier, neben Gustaf Gründgens als Friedrich Wilhelm III., die damals sehr beliebte Henny Porten die Titelrolle, so daß ein Publikumserfolg sicher war. Weniger angetan waren die Kritiker, die, wie bei allen damals noch aktuellen preußischen Stoffen, ihre politische Rechts- oder Linksorientierung zum Ausdruck brachten. Doch waren diesmal beide Seiten nicht recht zufrieden, weil der

Am 4. Dezember 1931 wurde in Berlin der Film »Luise, Königin von Preußen« uraufgeführt. Regie: Carl Froelich, in den Hauptrollen: Henny Porten und Gustaf Gründgens. Das Szenenfoto zeigt Henny Porten als Luise in den idyllischen Zeiten in Paretz.

Gustaf Gründgens als der unentschlossene Friedrich Wilhelm III. in den Tagen vor Jena und Auerstedt. An seiner Seite die Luise der Henny Porten. Szenenfoto aus dem Film »Luise, Königin von Preußen« von 1931.

Film, wie es Ludwig Marcuse in der »Vossischen Zeitung« sagte, »viel Militarismus«, ein »bißchen Pazifismus« und »viel unfreiwillige Komik« hatte und weder über die Königin Luise noch über seine eigene Aussage etwas wußte, sich also ganz unentschieden verhielt. Von konservativer Seite wurde, in der »Deutschen Allgemeinen Zeitung«, die Süßlichkeit und Sentimentalität von Henny Portens Darstellung bemängelt, »diese volkstümlich zurechtgestutzte Innigkeit, die gerade das kompromittiere, was sie verherrlichen« wolle. Und »Die Volksbühne« meinte, daß der Film sich zwischen einer Luise als Walküre oder als Pazifistin nicht habe entscheiden können, weshalb ein kläglicher Kompromiß zwischen »Radaupatriotismus und Friedensliebe« gewählt worden sei, »der eine doppelte Lüge ergab«.

Der Begriff Lüge sollte hier wahrscheinlich bedeuten, daß die kriegsbegeisterte Luise die friedliebende unglaublich machte und umgekehrt. Möglicherweise aber meinte der Kritiker mit der Lüge auch eine Verfälschung der historischen Wahrheit oder eine Abweichung von der Legende aus Hohenzollernzeiten, die ja in vielen Köpfen noch weiterlebte und durch neue Veröffentlichungen Nahrung erhielt. Es erschienen weitere Luise-Biographien, wie 1927 die von Gertrude Aretz, die eine andere Umwertung vornahm, indem sie Luises Einfluß auf die Politik für groß hielt und als verhängnisvoll einschätzte. Es erschienen die Briefe der Königin, die bisher nur verstreut und in zensierter Auswahl vor allem im »Hohenzollern-Jahrbuch« veröffentlicht worden waren, und die französisch geschriebenen wurden jetzt auch ins Deutsche übersetzt. Auch die Aufzeichnungen Friedrich Wilhelms III. über den Tod Luises, die bisher mehr oder weniger verschlossen im Ho-

Die Deutschnationale Volkspartei (DNVP), der der Frontkämpferverband »Stahlhelm« und auch der später gegründete Luisenbund nahestanden, machte 1920 mit Luise-Bildnissen Wahlwerbung.

henzollernschen Hausarchiv gelegen hatten, konnten nun publiziert werden. Die Kenntnis von Luises Leben und Denken wurde also vollständiger und differenzierter. Aber der dadurch bedingte Wegfall »falscher Ausschmückung«,

Die Kronprinzessin Cecilie war wie Luise eine geborene mecklenburgische Prinzessin. Hier spricht sie auf der Tagung des Luisenbundes am 18. September 1932.

wie Karl Griewank das nannte, beschädigte die Verehrte in keiner Weise, und das »Geheimnis ihrer geschichtlichen Nachwirkung« wurde durch die stärkere Individualisierung und Vermenschlichung eher noch vertieft.

In der Republik, die bekanntlich viele ihrer Bürger nicht mochten, ging der Kult um Luise auch ohne staatliche Verordnung bei vielen Leuten noch weiter, und sie wurde auch politisch benutzt. Die Deutschnationale Volkspartei machte 1920 nicht nur mit Bildnissen Friedrichs des Großen, sondern auch mit Luise-Porträts Wahlwerbung, und 1923 wurde der Königin-

Foto von der Tagung des Luisenbundes in Potsdam am 18. September 1932. Unter dem Schutz von Mitgliedern des »Stahlhelm« empfängt die Bundesführerin Freifrau von Hadeln die Kronprinzessin Cecilie.

Luise-Bund gegründet, eine monarchistische Frauenorganisation mit einer Adligen an der Spitze, die sich politisch an den Frontkämpferbund »Stahlhelm« anlehnte und auf ihren Bundestreffen auch Cecilie, die ehemalige Kronprinzessin (die in ihren 1930 erschienenen »Erinnerungen« selbstverständlich noch an Luises aus Sorgen ums Vaterland »gebrochenes Herz« glaubte), reden ließ. Zusammen mit anderen auf die Hohenzollern orientierten Verbänden wurde der Bund 1934 von den Nationalsozialisten aufgelöst.

Im Gegensatz zu Friedrich dem Großen und

anderen historischen Gestalten der preußischen Geschichte, die in der Hitlerzeit zu propagandistischen Zwecken mißbraucht wurden, war das bei Luise anscheinend nicht der Fall. Man unternahm weder etwas gegen die Luisen-Verehrung der älteren Generationen, noch war man um eine Neubewertung im eignen Sinne bemüht. Für Literatur, Film oder politische Reden war also Luise kein Thema, und selbst die Propaganda für Kinderreichtum, die 1940 zur Stiftung des Mutterkreuzes führte, kam ohne Rückgriff auf Luise oder den Luisen-Orden aus. Die schöne Dulderin wurde in einer Zeit, die männliche Kraft und Härte zu ihren Idolen machte, nicht mehr gebraucht.

Vergebliche Wiederbelebung

Die wenigen Besucher, die zehn, zwanzig oder dreißig Jahre nach Beendigung des Zweiten Weltkrieges nach Paretz kamen, um in dem Dörfchen, in dem Luise die glücklichsten Tage ihres Lebens verlebt hatte, nach Spuren von ihr zu suchen, konnten häufig das ehemalige Herrenhaus, das David Gilly dem Kronprinzenpaar zu einem bescheidenen Schlößchen umgebaut

Das Schlößchen Paretz nach dem verschandelnden Umbau. Foto von etwa 1975.

Das von David Gilly 1796/97 für Friedrich Wilhelm III. aus einem alten Herrenhaus umgebaute Schlößchen Paretz auf einem Foto von etwa 1900.

hatte, nicht finden, bis Einheimische sie auf ein häßliches langgestrecktes Gebäude verwiesen, auf dem über grauem Einheitsputz erst »Bauernhochschule«, dann »Institut für Landwirtschaft Edwin Hoernle« und später »VEB Tierzucht« zu lesen war. Das Gebäude, einst Wallfahrtsort der Luisen-Verehrung, war in den letzten Kriegstagen zwar geplündert, aber nicht zerstört worden. Es war auch der Abrißkampagne entgangen, der auf dem Lande viele Herrenhäuser, im nahen Potsdam die Garnisonkirche und das Stadtschloß zum Opfer gefallen waren; aber man hatte es innen und außen baulich so verschandelt, daß von Gillys Werk nichts mehr zu ahnen, geschweige zu sehen war. Vielleicht war dabei nur Banausentum siegreich gewesen, wahrscheinlicher aber ist, daß diese Unkenntlichmachung aus ideologiebedingter Absicht geschah.

Die Verdammung Preußens, die die Siegermächte des Zweiten Weltkrieges dazu bewogen hatte, es 1947 formell aufzulösen, hatte in den Nachkriegsjahren auch die öffentliche Meinung in Deutschland bestimmt. Sie war eine späte Folge der Goebbelsschen Propaganda gewesen, die das Hitlerreich in der Nachfolge Preußens gesehen hatte. Schon in Weimarer Zeiten war eine Ahnenreihe zwischen Friedrich dem Großen, Bismarck und Hitler konstruiert und am sogenannten »Tag von Potsdam« wirkungsvoll inszeniert worden. Die Widerlegung dieser Vereinnahmung durch die Offiziersverschwörung gegen Hitler im Jahre 1944 war als solche nicht genügend gewürdigt worden, so daß Jahrzehnte vergehen mußten, ehe eine objektivere und differenziertere Betrachtung Preußens möglich war. Prinzipiell galt das für beide deutschen Teilstaaten, nur wurde im Osten, wo Diskussionen darüber nicht möglich waren, das Verdammen und das Auslöschen aller Erinnerungen rigoroser durchgeführt. Während im Westen die zahlreichen Wilhelm- und Luisestraßen und -plätze ihre Namen meist weiterhin behielten, die jüngeren Bundesbürger aber keine historischen Erinnerungen mehr damit verbanden, war in der DDR alles, was an die Monarchie erinnerte, umbenannt oder, wie manches Friedrich-Denkmal, beseitigt worden. An die Stelle der Friedrichs und Wilhelms sollten die Lenins und Thälmanns treten. Doch gab es auch Ausnahmen, wie Schinkels Luise-Denkmal auf dem Granseer Marktplatz, wo wahrscheinlich Ehrfurcht vor diesem berühmten Namen der Kunstgeschichte für die Erhaltung ausschlaggebend gewesen war.

Kam man in den siebziger Jahren nach Paretz und hatte das Glück, auf den dort im Ruhestand lebenden Pastor zu treffen, der einem, nachdem er Vertrauen gefaßt hatte, alle noch vorhandenen Luise-Reliquien wie unter dem Siegel strengster Verschwiegenheit zeigte, konnte man hier noch einmal erleben, wie ähnlich der Kult um Luise, der mit der Generation dieses Verehrers aussterben sollte, der katholischen Heiligenverehrung gewesen war.

Als gegen Ende der siebziger Jahre in der Bundesrepublik Deutschland, und später auch in der DDR, eine gerechtere Betrachtung Preußens einsetzte und Friedrich wieder Unter den Linden reiten durfte, war Luise als nationale

Königin Luise, Friedrich Wilhelm III. und ihre Kinder in Paretz am zehnten Geburtstag des Kronprinzen, der aus diesem Anlaß zum Offizier ernannt wurde. Nach einem Gemälde von Heinrich Anton Dähling gestochen von J. F. Krethlow (1807).

Ikone im Bewußtsein breiter Bevölkerungsschichten nicht mehr vorhanden; und wenn in den Sommermonaten ihr Mausoleum im Charlottenburger Schloßpark besucht wurde, galt die

Verehrung wohl weniger ihr als Schinkel und Rauch. Nie wurde in Ost oder West der Versuch unternommen, an den Kult der Kaiserzeit anzuknüpfen oder ihn zu erneuern. Die Königin war zu einer Gestalt der Geschichte unter anderen geworden, die freilich die Besonderheit aufweist, daß die an ihre Person gebundene Legende historisch bedeutungsvoller war als sie selbst.

Das aber hat auch in neuerer Zeit die Schreiber von Biographien nicht davon abgehalten, Luises interessantes und rührendes Schicksal zum Gegenstand neuer Bücher zu machen, diesmal aber, wie meist betont wurde, von allen verklärenden Zutaten befreit. Daß sich dabei alle ihre Biographen in die schöne und bedauernswerte Königin verlieben, liegt sozusagen in der Natur der Sache; aber selbst wenn sie, wie Heinrich Hartmann in den achtziger Jahren, ihr Buch ausdrücklich »dem Hause Hohenzollern« widmen, wird nicht der Versuch einer Kulterneuerung gemacht. Auch die verdienstvolle Herausgabe von Luises Briefen in deutscher Sprache will nicht neue Schwärmer heranziehen, sondern, »unbelastet durch Traditionen des Urteilens«, die Königin zeigen, wie sie tatsächlich war.

Als ein Versuch, die möglicherweise noch lebendige Verehrung Luises zu nutzen, kann der letzte Film über sie betrachtet werden, der 1957 gedreht wurde, doch blieb ihm, trotz Starbesetzung, ein Erfolg, wie ihn etwa zur gleichen Zeit die »Sissi«-Filme erlangten, versagt. Der unter der Oberaufsicht von Goebbels zu Ansehen gelangte Regisseur Wolfgang Liebeneiner versuchte hier die zum Mythos gewordene Luise durch ihre Verwandlung in eine Lehrmeisterin der Friedensliebe zu retten. Sie sei die einzige, die aus dem schrecklichen Krieg etwas gelernt habe, sagt Hardenberg.

Der in München gedrehte Film, der der Not gehorchend auf die Authentizität der Schauplätze verzichtet, die politischen Geschehnisse verkürzt und vereinfacht und es auch in Einzelheiten mit der historischen Wahrheit nicht so genau nimmt, beginnt mit den glücklichen Jahren in Paretz und endet, statt in Hohenzieritz, auch dort. Alle bekannten Anekdoten-Stationen, teils zeitlich versetzt, teils verändert, kann man wiedererkennen, vom Walzertanzen und dem Ausruf der Gräfin Voß, das sei doch gegen jede Etikette, bis zum gebrochenen Wagenrad, der ostpreußischen Bauernhütte und der Unterredung mit Napoleon. Schwester Friederike muß die Naiv-Kokette spielen, der genialische Prinz Louis Ferdinand in Kleist-Zitaten reden, René Deltgen als Napoleon den ungehobelten Emporkömmling geben, und da man sich 1957 im Kalten Krieg befindet, muß Bernhard Wicki als Zar Alexander so falsch und verlogen wie

Ruth Leuwerik als Königin Luise und Charles Regnier als Talleyrand in politisch gespannter Atmosphäre auf einem Hofball in Berlin. Szenenfoto aus dem Bavaria-Film »Königin Luise. Liebe und Leid einer Königin« von 1957.

möglich sein. Die Tragik Luises aber besteht darin, daß sie ihren friedliebenden Gatten, dessen innere Kämpfe sich ständig auf dem Gesicht Dieter Borsches abzeichnen, zum Krieg gegen Napoleon verleitet, sich in der Katastrophe dann aber läutert und durch Schulderkenntnis nicht nur pazifistisch, sondern auch demokratisch wird. Das Volk müsse jetzt mitreden dürfen, verkündet die Luise Ruth Leuweriks mit ihrer hellen, auch in der Heiterkeit immer trä-

»Ich bin nicht der, für den du mich hältst.« König Friedrich Wilhelm III. (Dieter Borsche) ist seiner Entschlußlosigkeit wegen verzweifelt und sucht Trost bei Luise, und die gibt ihm den falschen Rat, nämlich den, sich mit dem Zaren zu verbünden. Szenenfoto aus dem Luise-Film von Wolfgang Liebeneiner.

nenauslösenden Stimme – mit der sie dann auf dem Sterbelager die sie umgebenden Kinder ermahnt, immer so friedliebend wie ihr Vater zu sein. Und als Gräfin Voß der Sterbenden schluchzend sagt, daß die Leute schon um sie weinen, richtet sie an ihr Volk noch die letzte Mahnung: Es solle nicht weinen, es solle lernen – aus dem Unglück nämlich, das sie alle, nicht schuldlos, getroffen hat. Dann kniet die Schar ihrer Kinder nieder, und der König, die Voß und Doktor Heim falten die Hände. Und die tote Königin ist schön wie nie zuvor.

Der hohe Anspruch, den dieser Film an sich selber stellte, war mit seinen sentimentalen Schablonen nicht einzulösen. Und seine Legendenumbildung ins Zeitgemäße zielte ins Leere, weil mit Leuten gerechnet wurde, zu deren Kindheitserinnerungen noch die Luisen-Verehrung gehörte, doch war inzwischen deren Zahl schon gering. Der Film appellierte an Kenntnisse und Gefühle, die die meisten Zuschauer nicht hatten. Das vor allem erklärt wohl seinen geringen Erfolg.

Wirklichkeitsnäher, wenn auch noch zu lehrhaft, weil zu sehr in der Furcht vor dem Aufleben alter Mythen befangen, präsentierte sich 1981 in Berlin die große Ausstellung »Preußen – Versuch einer Bilanz«. Hier fehlte Luise sowohl in den Zeittafeln mit den für Preußen wichtigen Daten als auch in den beiden Kapiteln, die die Geschehnisse zu ihren Lebzeiten behandeln. Die Bedeutung von Individuen für die Geschichte war den Ausstellern überhaupt suspekt. Luise war vollständig, als habe es sie in

Luise als Wohltäterin auf einem Teller mit goldverziertem Rand. Hohenzollernmuseum des Johanniter-Ordens in Berlin.

Wirklichkeit gar nicht gegeben, in die Abteilung »Mythen und Legenden« verwiesen, wo dann aber nur ein Aspekt der Legende beachtet wurde, nämlich der ihrer Bedeutung für die Bildung der kleindeutschen Nation.

Ein Stichwort »Luise« aber gab es auch in der gleichzeitig in Berlin gezeigten Ausstellung von Marie-Louise Plessen und Daniel Spoerri, die unter dem Titel »Le Musée Sentimental de Prusse« Relikte und Reliquien aus der preußischen Alltagswelt zeigte und als ironischer Kontrapunkt zur großen historischen Schau gedacht war. »Luise« rangierte hier gleichberechtigt mit den »Langen Kerls«, dem »Panoptikum« und den »Teltower Rübchen« und war mit einem bemalten Teller, der sie als Wohltäterin der Armen zeigte, und mit einer gerahmten Schleife aus ihrer Morgenhaube vertreten – mit Kuriositäten also, die wissen ließen, daß wir aufgeklärten Nachgeborenen für solche Skurrilitäten nur noch ein spöttisches Lächeln haben, so wie für Moden, die uns einmal gefallen haben, nun aber komisch geworden sind.

Warnung für Selbstgewisse

Kollektive Mythen, die historische Gestalten und Geschehnisse in anschaulichen Erzählungen deuten, waren in der Menschheitsgeschichte schon immer eine immaterielle Macht. So auch im Europa des 19. Jahrhunderts, wo sie das Entstehen der Nationalstaaten beförderten oder zu ihrer Erhaltung beitrugen, indem sie festlegten, in welcher Weise die Vergangenheit im Sinne der Gegenwart und der Zukunft zu sehen war. Mythen waren Hilfsmittel zur Identitätsfindung und damit zur Abgrenzung von anderen Gemeinschaften, meist von den feindlichen, die die eigene unterdrückten, bedrohten oder zu bedrohen schienen, so daß Einheit auch durch Gemeinsamkeit von Feindschaft entstand.

Den Deutschen dienten dazu vor allem die Franzosen, an deren kultureller Hegemonie im 18. Jahrhundert sich in den gebildeten Schichten das deutsche Nationalbewußtsein entzündete; an deren großer Revolution den Deutschen, die an ihren Fürsten festhielten, klar wurde, daß sie ganz anders waren; und deren Napoleon schließlich durch seine Eroberungen zum

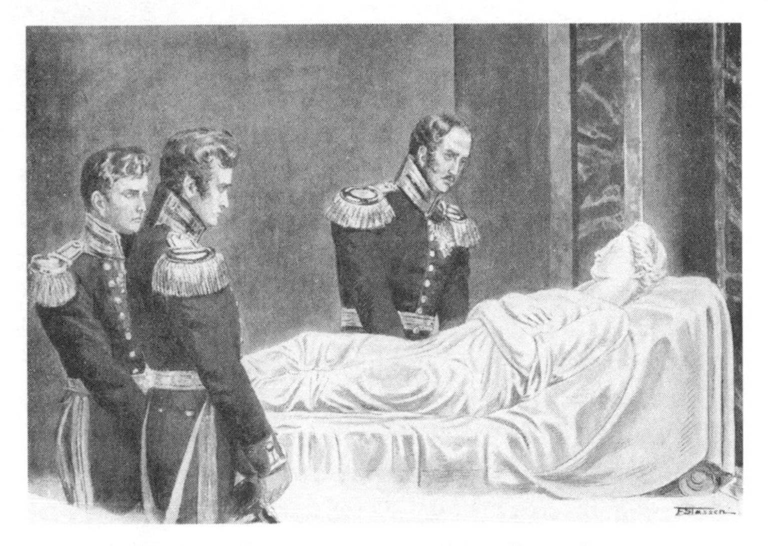

Die Illustration von Franz Stassen zu Müller-Bohns »Die deutschen Befreiungskriege« zeigt Friedrich Wilhelm III. und seine Söhne Friedrich Wilhelm (IV.) und Wilhelm (I.) 1815 im Charlottenburger Mausoleum vor ihrem Ausmarsch nach Frankreich, in das Napoleon von Elba aus zurückgekehrt war.

Geburtshelfer eines deutschen Nationalismus wurde, der teilweise ins Extreme geriet.

Die mit Sieg endende Bekämpfung Napoleons vor allem durch Preußen konnte später die Legende von der sogenannten »Deutschen Sendung« Preußens bestätigen. Und da auch der kleindeutsche Nationalstaat sich wieder im Kampf gegen Frankreich verwirklichte, konnten alle Mythen, die sich direkt oder im übertragenen Sinne (wie im Germanenkampf gegen die Römer) auf den »Erbfeind« bezogen, im Bismarck-Reich weiter ihre Zwecke erfüllen – so auch die Lichtgestalt einer Luise, die ihren Glanz erst einbüßen mußte, als in der zweiten Hälfte des 20. Jahrhunderts der Feind keiner mehr war.

Denn Mythen verblassen, wenn ihre Zwecke den Notwendigkeiten der Zeit nicht mehr entsprechen. Mythische Helden erfüllen nur so lange ihre kriegerischen Funktionen, wie heldische Einzelkämpfer benötigt werden; und Luise konnte als Vorbild nur in Zeiten dienen, deren Frauenideal dem, nach dem sie geformt war, entsprach. Als dann aber Dulderinnen, die sich durch eheliche Treue und passive Vaterlandsliebe auszeichnen, nicht mehr als erstrebenswert galten, mußte das Modell Luise veralten; es mußte umgeformt oder verworfen werden, oder es wurde durch andere Idole und Legenden ersetzt.

Selbstverständlich ließ sich nicht jeder von den Legenden überzeugen, die in den Schulbüchern zu finden waren. Kritiker der Mythen hat es immer gegeben, und zwar sowohl solche, die an die Stelle der einschichtigen Legenden die mehrschichtigen Wahrheiten setzen wollten, als auch jene, die, weil sie andere politische Ziele verfolgten, andere Idole brauchten, wie zum Beispiel in wilhelminischen Zeiten die Sozialdemokratie. Franz Mehring wollte Luise vom Thron der Verehrung vertreiben, weil er andersgeartete Inthronisierungen wollte. Und der Skeptiker Fontane, der sich gegen das süßliche Luise-Bild wehrte und am Eisernen Kanzler auch die schlechten Seiten entdeckte, hatte gegen ein anderes, herberes Preußen-Idol, gegen das Friedrichs des Großen nämlich, nicht nur nichts einzuwenden, sondern er arbeitete auch fleißig an der Festigung dieser Legende mit.

Auf unsere Gemüter können Mythen nur so lange wirken, wie sie uns als Wahrheiten gelten; wenn wir wissen, warum sie entstanden, und welchen Zwecken sie dienen, sind wir ihrer Macht schon entflohen. Mit überlegenem Lächeln können wir auf jene zurückblicken, die ihnen, ohne es zu wissen, verfallen waren. Wir können uns für aufgeklärt und immunisiert halten – dabei aber genausowenig wie jene, die wir belächeln, wissen, daß die Entlarvung von Mythen nicht deren Ende, sondern nur ihren Wechsel bringt.

Auch die Vorstellung, keiner Mythen mehr zu bedürfen, kann eine sein.

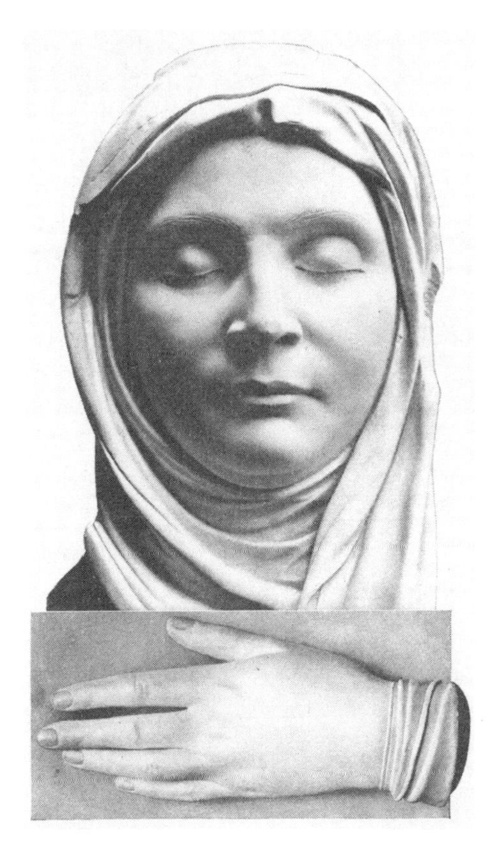

Totenmaske und Abguß der Hand der Königin Luise, abgenommen von dem Neustrelitzer Bildhauer und Architekten Christian Philipp Wolff, der 1815 den Luisen-Rundtempel in Hohenzieritz baute. Die Wachsabgüsse befanden sich früher in der Luise-Gedenkhalle des Hohenzollern-Museums im Schloß Monbijou, das im Zweiten Weltkrieg zerstört und später abgetragen wurde.

Zitatennachweis

Verflechtungen
»die schlichte Treue ...« – Seidel, S. 4

Die schönen Schwestern
»die angenehmste aller deutschen ...« – Schadow, Bd. 1, S. 39
»der jetzt unter allen Bildhauern ...« – Krenzlin, S. 141
»nach der Natur ...« – Schadow, Bd. 1, S. 40
»den vielen schwachen ...« – Schadow, Bd. 1, S. 40
»Mir fatal!« – Mackowsky, S. 355

Glaube und Liebe
»Dieses Herz, das Ihnen ...« – Adami, S. 54
»Mein Himmel! Das ist ja ...« – Adami, S. 51
»Nichts ist erquickender ...« – Novalis, S. 498
»wahre Wunder der Transsubstantiation ...« – Novalis, S. 501
»Blumen ... schöne Fürstinn ...« – Novalis, S. 486–487
»so das gewöhnliche Leben ...« – Novalis, S. 497
»Wer den ewigen Frieden ...« – Novalis, S. 502
»Der Traum der Wahrheit« – Jean Paul, Bd. I/3, S. 10–12

»Warum hat sie zwei Throne …« – Jean Paul: Briefe, Bd. 3, S. 340
»Wechselgesang der Oreaden …« – Jean Paul, Bd. II/3, S. 266–269
»Schmerzlich-tröstlichen …« – Jean Paul, Bd. II/3, S. 208–209

Lektüre
»von denen Sie annehmen …« – Luises Briefe, S. 224
»alle Bücher in die Havel …« – Luises Briefe, S. 228
»Wie könnte je sich ihm …« – Adami, S. 95
»die den Völkern Preußens …« – Hartmann, S. 251
»vor den Augen des ganzen Hofes …« – Kleist, Bd. 7, S. 83
»An die Königin von Preußen …« – Kleist, Bd. 1, S. 42

Stein und Luise
»Ein Unglück für den Preußischen Staat …« – Pertz, S. 441
»byzantinischen Schwindel« – Mehring, S. 79

Schutzgeist der Deutschen
»ein Monument, ein Epitaphium …« – Schadow, Bd. 1, S. 92
»Brennenleuen« – Kletke, S. 503
»mehr eigentümlich als schön« – Fontane: Havelland, S. 349
»Reinheit, Glanz und schuldloses …« – Fontane: Grafschaft Ruppin, S. 517

»Schmerz ... auf allen Gesichtern ...« – Steffens, S. 205
Varnhagen notiert – Varnhagen: Tagebücher, Bd. 1, S. 26–27
»Uns umstrahlet die Entfernte ...« – Arnim, Bd. 3, S. 381–404
»Schutzgeist ... der deutschen Sache ...« – Körner, T. 1, S. 26–27
»Magdeburg«, »Makellose« – Dreyhaus, S. 22–25
»Eisenritter« – Ziehen, S. 64
»Heiligenbild für den gerechten Krieg« – Körner, T. 1, S. 27
»holde Sage ...« – Dreyhaus, S. 84
»Blücher auf dem Montmartre« – Tetzner, S. 189–190

Die preußische Madonna
»Unterschied des Geschlechts« – Dreyhaus, S. 68–70
»den Männern unserer tapferen Heere ...« – Bellardi, S. 74–75
»Bey Lebzeiten Ihrer Majestät ...« – Berliner Abendblätter, 6. Bl., 6.10.1810, S. 23
»In fesselnder Weise ...« – Der Bär, Jg. 16 (1898), S. 35
»Ich bestimme daher ...« – Wülfing, S. 103
»Zu gut für eine Welt ...« – Brendicke, S. 105
»Ein fleißiger Sammler ...« – Brendicke, S. 6
»volkstümliche Überlieferung« – Treitschke, S. 277
»die beiden innigsten Empfindungen ...« – Der Bär, Jg. 17 (1899), S. 286

»Erinnerung ihres dankbaren Volkes« – Treitschke, S. 276–277
»tiefen Sinn« – Hintze, S. 1
»In dem religiösen Glauben ...« – Hintze, S. 4–5

Umwertungen
»Das Deutsche Reich ist tot ...« – Molo, S. 225
»Wir müssen durch ...« – Molo, S. 5
»Und vergib uns ...« – Molo, S. 311
»Wie ein Heiligenschein ...« – Molo, S. 312
»viel Militarismus ...« – Preußen im Film, S. 250
»diese volkstümlich ...« – Preußen im Film, S. 250
»Radaupatriotismus ...« – Preußen im Film, S. 250
»falscher Ausschmückung« – Griewank, S. 8
»Geheimnis ihrer geschichtlichen ...« – Griewank, S. 8
»gebrochenes Herz« – Cecilie, S. 220

Vergebliche Wiederbelebung
»dem Hause Hohenzollern« – Hartmann, S. 6
»unbelastet durch Traditionen ...« – Luises Briefe, S. 15

Bibliographie

Königin Luise. Briefe und Aufzeichnungen. Herausgegeben und erläutert von Karl Griewank. Leipzig: Bibliographisches Institut 1924

Königin Luise von Preußen. Briefe und Aufzeichnungen 1786–1810. Mit einer Einleitung von Hartmut Boockmann. Herausgegeben von Malve Gräfin Rothkirch. München: Deutscher Kunstverlag 1985

Adami, Friedrich: Luise, Königin von Preußen. 18. Auflage. Gütersloh: Bertelsmann 1906

Aretz, Gertrude: Königin Luise. Dresden: Aretz 1927

Arnim, Achim von: Werke. Herausgegeben von Reinhold Steig. Band 3. Leipzig: Insel (um 1900)

Bär, Der. Illustrierte Wochenschrift. Jahrgang 16 und 17. (1898–1899)

Bailleu, Paul: Königin Luise. Ein Lebensbild. Berlin, Leipzig: Giesecke und Devrient 1908

Bellardi, Paul: Königin Luise. Ihr Leben und ihr Andenken in Berlin. Berlin: Plahn 1893

Berger, Ludwig: Kronprinzessin Luise. 3 Akte. Berlin: Propyläen 1926

Berger, Ludwig: Luise, Königin von Preußen. Berlin: Propyläen 1926
Berliner Abendblätter. Herausgegeben von Heinrich von Kleist. (Reprint) Nachwort von Helmut Sembdner. Darmstadt: Wissenschaftliche Buchgesellschaft 1973
Brendicke, Hans: Königin Luise. Leben und Wirken einer deutschen Frau. Herausgegeben und dem deutschen Volke erzählt. Berlin: Bartels (um 1900)
Cecilie, Kronprinzessin von Preußen: Erinnerungen. Leipzig: Koehler 1930
Derboeck, C. V.: Luise, Königin von Preußen. Ein Vorbild weiblicher Tugenden. Historische Erzählung für die Jugend. Berlin: Drewitz (um 1900)
Dreyhaus, Hermann: Die Königin Luise in der Dichtung ihrer Zeit. Berlin: Wegweiser (um 1925)
Eckart, Götz: Johann Gottfried Schadow und die Königin Luise. In: J. G. Schadow: Die Königin Luise in Zeichnungen und Bildwerken. (Katalog) Potsdam: Verein Historisches Potsdam 1993
Ethos und Pathos. Die Berliner Bildhauerschule 1786–1914. Herausgegeben von Peter Bloch, Sibylle Einholz und Jutta von Simson. Berlin: Staatliche Museen 1990
Felseneck, Marie von: Königin Luise. Ein Lebensbild nach authentischen Quellen bearbeitet. Der deutschen Jugend gewidmet. Berlin: Weichert (um 1910)

Fontane, Theodor: Wanderungen durch die Mark Brandenburg. Band 1: Die Grafschaft Ruppin, Band 3: Havelland. Berlin: Aufbau 1994

Friedrich II., König von Preußen: Die Werke Friedrichs des Großen. Band 1–10. Berlin: Hobbing 1913

Friedrich Wilhelm III., König von Preußen: Vom Leben und Sterben der Königin Luise. Eigenhändige Aufzeichnungen. Herausgegeben von Heinrich Otto Meisner. Leipzig: Koehler 1926

Gubitz, Friedrich Wilhelm: Bilder aus Romantik und Biedermeier. Herausgegeben von Paul Friedrich. Berlin: Pantheon 1922

Häker, Horst: Brennus in Preußen. Geschichte eines Mythos. In: Jahrbuch Preußischer Kulturbesitz. Jahrgang 18 (1981)

Hartmann, Heinrich: Luise. Preußens große Königin. Herrsching: Pawlak 1988

Hintze, Otto: Königin Luise. Festrede zur Feier ihres 100. Todestages. In: Hohenzollern-Jahrbuch. Jahrgang 14 (1910)

Jean Paul: Werke. Band I/3 und II/3. Herausgegeben von Norbert Miller. München: Hanser 1965 und 1978

Kleist, Heinrich von: Gesamtausgabe. Herausgegeben von Helmut Sembdner. Band 1–7. München: dtv 1974

Kletke, Hermann (Hrsg.): Deutsche Geschichte in Liedern, Romanzen, Balladen und Erzählungen. Berlin: Adolf 1846

Körner, Theodor: Werke in 2 Teilen. Herausgegeben von Augusta Weidler-Steinberg. Berlin, Leipzig: Bong (um 1900)
Krenzlin, Ulrike: Johann Gottfried Schadow. Ein Künstlerleben in Berlin. Berlin: Bauwesen 1990
Luise Auguste Wilhelmine Amalie, Königin von Preußen. Ein Denkmal. Berlin: Braunes 1810
Mackowsky, Hans: Johann Gottfried Schadow. Jugend und Aufstieg. 1746–1797. Berlin: Grote 1927
Mackowsky, Hans: Die Bildwerke Gottfried Schadows. Berlin: Deutscher Verein für Kunstwissenschaft 1951
Mann, Thomas: Von deutscher Republik. In: T. Mann: Essays. Band 2. Frankfurt am Main: S. Fischer 1993
Marwitz, Friedrich August Ludwig von der: Ein märkischer Edelmann im Zeitalter der Befreiungskriege. Band 1: Lebensbeschreibung. Herausgegeben von Friedrich Meusel. Berlin: Mittler 1908
Mehring, Franz: Gesammelte Schriften. Band 6. Zur deutschen Geschichte von der Französischen Revolution bis zum Vormärz. 1789–1847. Berlin: Dietz 1965
Molo, Walter von: Luise. Roman. München: Langen 1919 (Band 2: Ein Volk wacht auf)
Müller-Bohn, Hermann: Die deutschen Befreiungskriege 1806–1815. Veranlaßt und herausgegeben von Paul Kittel. Band 1–2. Berlin: Kittel (um 1910)

Novalis: Werke in einem Band. München: Hanser 1984
Pertz, Georg Heinrich: Aus Steins Leben. 1. Hälfte. Berlin: Raumer 1856
Plessen, Marie-Louise und Daniel Spörri: Le Musée Sentimental de Prusse. Eine Ausstellung der Berliner Festspiele im Berlin-Museum. Berlin: Fröhlich und Kaufmann 1981
Preußen – Versuch einer Bilanz. Eine Ausstellung der Berliner Festspiele. 15. August bis 15. November 1981. Katalog in 5 Bänden. Reinbek bei Hamburg: Rowohlt 1981
Röchling, Carl, Richard Knötel und Waldemar Friedrich: Die Königin Luise in 50 Bildern für Jung und Alt. Berlin: Kittel 1896
Schadow, Johann Gottfried: Kunstwerke und Kunstansichten. Band 1–3. Berlin: Henschel 1987
Schadows Berlin. Zeichnungen von Johann Gottfried Schadow. Berlin: Stiftung Archiv der Akademie der Künste 1999
Schröder, Johann Heinrich: Preußische Porträts. Ausstellung im Schloß Paretz. Potsdam: Sanssouci 1994
Schuster, Georg: Königin Luise. Historische Bilddokumente. Berlin: Schröder 1934
Seidel, Ina: Luise, Königin von Preußen. Ein Bericht über ihr Leben. Königstein/Ts.: Der Eiserne Hammer (um 1930)
Steffens, Henrich: Was ich erlebte. Herausgegeben von Willi A. Koch. Leipzig: Dieterich 1938

Taschenbuch für edle teutsche Weiber. Mit Kupfern. Leipzig: Müller 1800
Tetzner, Franz (Hrsg.): Deutsche Geschichte in Liedern deutscher Dichter. Teil 1–2. Leipzig: Reclam 1892–1893
Treitschke, Heinrich von: Ausgewählte Schriften. Band 1. Leipzig: Hirzel 1917
Varnhagen von Ense, Karl August: Tagebücher. Band 1. Leipzig: Brockhaus 1861
Voß, Sophie Marie Gräfin von: 69 Jahre am Preußischen Hofe. Leipzig: Duncker und Humblot 1894
Wichert, Ernst: Die gnädige Frau von Paretz. Dramolet in einem Aufzuge. Leipzig: Reclam 1877
Wülfing, Wulf, Karin Bruns und Rolf Parr: Historische Mythologie der Deutschen 1798–1918. München: Fink 1991
Ziehen, Julius (Hrsg.): Die Dichtung der Befreiungskriege. Leipzig: Ellermann (um 1930)

Abbildungen

Jörg P. Anders, Berlin: *19*
Bundesarchiv Koblenz (Pl. Slg. 2/29/9): *109*
Staatsbibliothek zu Berlin – Preußischer Kulturbesitz: *14*
Hohenzollernmuseum des Johanniter Ordens, Berlin (Inv. Nr. 12/719): *123*
Kunstbibliothek SMPK (Bildarchiv Preußischer Kulturbesitz): *114*
Stadtmuseum, Berlin: *34*
Phot. Zander & Labisch, Berlin: *103*
Schlesisches Museum, Breslau (Photographische Gesellschaft, Berlin): *79*
Schloßmuseum Gotha (Inv. Nr. 632/577): *76*
Skulpturengalerie SMPK (Archiv): *84*
Staatliche Schlösser und Gärten Berlin (GK I 30314): *42*
Staatliche Museen zu Berlin, Nationalgalerie: *22*
Stiftung Archiv der Akademie der Künste, Berlin: *Umschlag, 26*
Ullstein Bilderdienst, Berlin: *106, 107, 120, 121*

Die übrigen Abbildungen stammen aus folgenden Bänden:

Arenhövel, Willmuth: Eisen statt Gold. Preußischer Eisenkunstguß aus dem Schloß Charlottenburg, dem Berlin Museum und anderen Sammlungen, Berlin 1982, S. 66 (T. 116): *25*

Bailleu, Paul: Königin Luise. Ein Lebensbild. Berlin, Leipzig 1908, T. 27: *129*

Bellardi, Paul: Königin Luise. Ihr Leben und ihr Andenken in Berlin. Berlin 1893, S. 2: *82*

Brendicke, Hans: Königin Luise. Leben und Wirken einer deutschen Frau. Berlin (um 1900), S. 59, 105, 121: *45, 59, 90*

Brockhaus' Konversations-Lexikon. 14., vollständig neubearbeitete Aufl. Bd. 12. Leipzig 1908, S. 628 (Abb. 18): *73*

Der Bär 16 (1889), S. 33: *80*

Die Königin Luise von Preußen und die Luisenburg. Ein Vortrag von Elisabeth Jäger am 10. März 1980 im Rathaussaal in Wunsiedel anläßlich der Enthüllung eines Porträts der Königin Luise, Wunsiedel o. J., S. 15: *37*

Felseneck, Marie von: Königin Luise. Ein Lebensbild nach authentischen Quellen bearbeitet. Berlin (um 1910), S. 80: *100*

Goldammer, Peter: Heinrich von Kleist. 2., durchgesehene Aufl. Leipzig 1986, S. 80: *47*

Hohenzollern-Jahrbuch 6 (1902), S. 40, 42, 44, 48, 56: *43, 56, 60, 62, 96, 117*

Horn, Georg: Das Buch von der Königin Luise. Berlin 1884, S. 110, 164: *64, 86*

Königin Luise. Historische Bilddokumente. Hrsg. von Georg Schuster. Berlin 1934, S. 25, 37, 90: *8, 16, 17, 65*
Mackowsky, Hans: Johann Gottfried Schadow. Jugend und Aufstieg. 1746–1797. Berlin 1927, T. 29: *12*
Müller-Bohn, Hermann: Die deutschen Befreiungskriege 1806–1815. Bd. 1. Berlin (um 1910), S. 264: *67*
Müller-Bohn, Hermann: Die deutschen Befreiungskriege 1806–1815. Bd. 2. Berlin (um 1910), S. 844: *126*
Oeser, Hans Ludwig: Menschen und Werke im Zeitalter Goethes, Berlin o. J., S. 101: *52*
Röchling, Carl, Richard Knötel und Waldemar Friedrich: Die Königin Luise in 50 Bildern für Jung und Alt. Berlin 1896, S. 8, 45: *28, 91*
Voß, Sophie Marie Gräfin von: 69 Jahre am Preußischen Hofe. Leipzig 1894: *29*

Günter de Bruyn

Die Finckensteins

Eine Familie im Dienste Preußens

Günter de Bruyn erzählt von der gräflichen Familie Finckenstein, die eng mit der Historie und Kultur Preußens verbunden ist. Die Finckensteins standen über Jahrhunderte im Zentrum des Geschehens. Sie sind ein Spiegel der Literatur und Gesellschaft, der Wirren und Widersprüche der preußischen Geschichte.

»*Als schriebe Fontane über Kultur und Geschichte Preußens.*« Wolf Jobst Siedler

»*Günter de Bruyn erzählt uns auf seine stille, eindringliche Weise eine faszinierende Familiensaga.*« Arnulf Baring, Die Welt

Berliner Taschenbuch Verlag